# Le jour
## où j'ai appris à vivre

# Laurent Gounelle

# Le jour
# où j'ai appris à vivre

*roman*

**KERO**

*À Charlotte et Léonie*

« Celui qui est le maître de lui-même est plus puissant
que le maître du monde. »

Bouddha

« L'homme ne prend conscience de son être
que dans les situations limites. »

Karl Jaspers

# 1

Prendre le mal à la racine.

Depuis la fenêtre de la salle de bains, à l'étage de la minuscule maison rose qu'il louait depuis bientôt trois mois dans une jolie ruelle de San Francisco, Jonathan observait, tout en se rasant d'un geste machinal, l'avancée inexorable du trèfle dans le gazon. La pauvre pelouse, jaunie par l'impitoyable soleil de juillet, semblait prête à capituler. Le clopyralid, ça marche pas. Le bidon entier pulvérisé au début du mois n'avait servi à rien. Tout arracher, brin par brin, voilà ce qu'il faut faire, se dit Jonathan tandis que son rasoir électrique caressait son menton dans un grésillement répétitif. Il lui tenait à cœur d'entretenir au mieux le jardin : exposé au sud à l'arrière de la maison, c'était l'aire de jeux de sa fille Chloé lorsqu'elle lui rendait visite, un week-end sur deux.

Tout en finissant de se raser, Jonathan consulta ses e-mails sur son smartphone. Des demandes de clients, une réclamation, un déjeuner reporté, le rapport mensuel de la compta, une offre commerciale de l'opérateur télé-phonique, et quelques newsletters.

Revenu devant le miroir, il s'empara d'un pinceau et du flacon de teinture brune. Délicatement, il appliqua la lotion sur ses premiers cheveux blancs. À trente-six ans, il était trop tôt pour accepter l'empreinte du temps.

Il acheva de se préparer en hâte pour être à l'heure au rendez-vous quotidien du café de la place : chaque matin depuis la création du petit cabinet d'assurances, cinq ans plus tôt, les trois associés s'y retrouvaient pour un café rapide en terrasse. L'un d'eux n'était autre que son ex-compagne, Angela, et leur récente séparation n'avait pas changé ce rituel qui semblait immuable.

Leur cabinet était le seul en ville à s'être spécialisé dans une clientèle de petits commerçants de la région. Après des débuts difficiles, il avait maintenant atteint l'équilibre et permettait aux associés et à leur assistante de se verser un salaire mensuel, même s'il était plutôt faible. Le cabinet avait réussi à s'implanter et les pers-pectives de croissance étaient prometteuses. Il fallait se battre, certes, et il arrivait parfois à Jonathan de sentir un découragement passager, mais il continuait de croire que tout est possible, que les seules limites sont celles que l'on se donne.

Il sortit sur le perron et marcha jusqu'au portail. L'air sentait bon la brume estivale. Le jardinet qui séparait la maison de la rue n'était pas en meilleur état que l'autre. Exposé au nord, celui-ci était envahi par la mousse.

Du courrier attendait Jonathan dans la boîte aux lettres. Il décacheta un pli de la banque. La réparation de la voi-ture avait mis le compte dans le rouge. Il fallait renflouer au plus vite. La deuxième lettre provenait de son opérateur téléphonique. Sans doute encore une facture...

— Bonjour !

Le voisin, qui prenait son courrier au même moment, le salua en affichant un air détendu, la tête du type à qui la vie sourit. Jonathan fit de même.

Un chat se frotta contre ses jambes en miaulant. Jonathan se baissa pour le caresser. C'était celui d'une vieille dame qui habitait dans un petit immeuble voisin. Jonathan le retrouvait souvent dans son jardin, pour le plus grand bonheur de Chloé.

Le chat précéda Jonathan dans la rue, puis miaula devant la porte de l'immeuble en le regardant. Jonathan poussa la porte et le chat s'engouffra, sans le lâcher des yeux.

— Tu veux que je te raccompagne, hein ? Je suis pressé, tu sais, dit Jonathan en ouvrant l'ascenseur. Allez, viens vite !

Mais le chat restait au pied de l'escalier, en miaulant doucement.

— Tu préfères l'escalier, je sais... mais j'ai pas le temps. Allez viens...

Le chat insista en clignant des yeux. Jonathan soupira.

— T'exagères...

Il prit le chat dans ses bras et gravit une à une les marches jusqu'au troisième étage. Il sonna à la porte et redescendit sans attendre.

— Ah ! Te voilà, baroudeur ! dit la voix de la vieille femme.

Jonathan enfila la ruelle aux maisons mal réveillées, et tourna à droite dans la rue commerçante pour rejoindre la petite place où il avait rendez-vous.

Il repensa à la manifestation de la veille, à laquelle il avait participé, contre la déforestation en Amazonie. Elle avait rassemblé quelques centaines de personnes et était parvenue à attirer la presse locale. C'est déjà ça.

Passant devant la vitrine du magasin de sport, il jeta un coup d'œil à la paire de baskets qui le narguait depuis quelque temps. Superbes mais hors de prix. Un peu plus loin, il fut titillé par l'odeur alléchante de gâteaux chauds qu'une pâtisserie autrichienne diffusait par ses bouches d'aération ingénieusement disposées en façade. Il faillit flancher, puis força l'allure. Trop de cholestérol. De toutes les luttes quotidiennes, celle contre les nombreux désirs que l'on fait naître en nous à longueur de journée n'est-elle pas la pire ?

Quelques clochards dormaient çà et là, sous des couvertures. L'épicier mexicain était déjà ouvert, ainsi que le marchand de journaux et, un peu plus loin, le coiffeur portoricain. Il croisa quelques têtes familières qui partaient au travail, l'air absent. D'ici une heure, le coin s'animerait franchement.

Mission District est le plus vieux quartier de San Francisco. Tout y est disparate : des villas victoriennes quelque peu défraîchies côtoient des buildings sans âme jouxtant de vieux immeubles à moitié insalubres. Des maisons anciennes couleur pastel flirtent avec des bâtiments recouverts de graffitis aux tons agressifs. La population elle-même est éclatée entre de nombreuses communautés qui se croisent sans vraiment se fréquenter. On entend des langues aussi variées que le chinois, l'espagnol, le grec, l'arabe ou le russe. Chacun vit dans son monde sans s'occuper des autres.

Un mendiant s'avança, la main tendue. Jonathan hésita un bref instant, puis passa son chemin en évitant son regard. On ne peut pas donner à tout le monde.

Michael, son associé, avait déjà pris place à la terrasse du café. C'était un élégant quadra au sourire charmeur, parlant à toute allure et débordant tellement d'énergie que l'on pouvait se demander s'il était raccordé à des batteries haute tension ou simplement shooté aux amphétamines. Costume sable, chemise blanche et cravate orange en soie tressée, il était attablé devant un grand mug de café et un *carrot cake* qui semblait avoir été choisi pour s'assortir à la cravate. La terrasse occupait un vaste espace de trottoir, suffisamment profond pour oublier les voitures passant derrière une rangée d'arbustes plantés dans de gros pots en bois dignes d'une orangerie de château. Les tables et chaises en rotin accentuaient l'impression d'être ailleurs, pas en ville.

— Comment vas-tu bien ? lança Michael sur un ton survolté.

On n'était pas loin de la prestation de Jim Carrey dans *The Mask*.

— Et toi ? répondit Jonathan comme à l'accoutumée.

Il sortit de sa poche un petit flacon de lotion antibactérienne, s'en versa quelques gouttes sur les doigts puis se frotta les mains énergiquement. Michael le regarda avec un sourire amusé.

— Au top ! Qu'est-ce que tu prends ? Le gâteau du jour est à tomber.

— Tu prends du gâteau au petit déjeuner, maintenant ?

— C'est mon nouveau régime : un peu de sucre le matin pour le démarrage, puis plus aucun de la journée.

— Va pour le gâteau.

Michael fit un geste au serveur et commanda.

Des trois associés, Michael était celui qui maîtrisait le mieux les ficelles du métier, et Jonathan ressentait souvent pour lui une certaine admiration. Il lui enviait l'aisance avec laquelle il parvenait à amener le client dans un état d'esprit favorable pour se laisser convaincre. En l'accompagnant en prospection auprès des commerçants, Jonathan avait assisté à des scènes incroyables où Michael parvenait à retourner un prospect totalement récalcitrant. Après s'être longtemps formé et entraîné aux méthodes de vente, Jonathan se débrouillait correctement, mais il devait faire des efforts considérables là où Michael jouait de son art avec aisance, maîtrisant toutes les techniques pour persuader les clients de souscrire de nouveaux contrats, de nouvelles options, d'accroître toujours plus leur protection, jusqu'à couvrir sans s'en rendre compte plusieurs fois le même risque… Dans ce domaine, avait-il confié à ses associés, la peur est l'émotion reine, la principale alliée du conseiller. Elle naît dans le regard du commerçant sitôt évoquée l'image d'un désastre, d'un vol, d'un litige. D'abord infime, mais insidieuse, elle a tôt fait de s'infiltrer dans les méandres de son esprit jusqu'à devenir prépondérante dans sa faculté de décision. Que représente alors la cotisation annuelle demandée, comparée au coût d'un sinistre ou d'un procès intenté par un consommateur en colère ? Plus les perspectives sont sombres, moins l'assurance semble chère…

Jonathan était quelqu'un d'honnête, et il lui arrivait de culpabiliser un peu. Mais tous ses concurrents appliquaient ces techniques, et y renoncer seul l'aurait pénalisé. Dans ce monde sans cœur, les règles sont ce qu'elles

16

sont, se disait-il. Mieux vaut les accepter et tenter de tirer son épingle du jeu si l'on ne veut pas rejoindre les exclus de la société...

— Tu sais, dit Michael, j'ai beaucoup réfléchi à ta situation, ces derniers temps.

— Ma situation ?

Michael acquiesça gentiment. Son regard était plein d'empathie.

— Plus je vous observe, plus je me dis que c'est l'enfer pour toi de travailler avec ton ex au quotidien.

Pris un peu au dépourvu, Jonathan regarda son associé sans répondre.

— Vous vous faites du mal mutuellement. C'est pas raisonnable.

Jonathan restait interdit.

— Et ça ne pourra pas durer.

Jonathan baissa les yeux. Michael le regarda presque avec tendresse.

— Alors mieux vaut anticiper...

Il prit une bouchée de *carrot cake*.

— J'ai beaucoup cogité, tourné le problème dans tous les sens, et finalement, j'ai une proposition à te faire.

— Une proposition ?

— Oui.

Jonathan resta silencieux.

— Voilà : ne me donne pas ta réponse tout de suite, prends ton temps pour réfléchir.

Jonathan le regarda attentivement.

— Je suis prêt, dit Michael, à faire l'effort de racheter tes parts si tu veux te retirer.

— Mes parts... du cabinet ?

— Oui, pas tes parts de gâteau.

Jonathan resta sans voix. Il n'avait jamais envisagé de quitter l'entreprise qu'ils avaient créée ensemble. Il s'y était tellement investi, corps et âme, qu'elle était devenue… comme une partie de lui-même. Il sentit son ventre se nouer. Quitter l'entreprise signifiait se couper de l'élément central de sa vie. Repartir de zéro. Tout rebâtir…

À l'intérieur du café, un écran de télé cloué au mur diffusait les images d'Austin Fisher, le champion de tennis qui accumulait les trophées. Après avoir de nouveau gagné Wimbledon quelques semaines plus tôt, il se présentait à Flushing Meadow en grand favori pour l'US Open.

Jonathan regarda les images, songeur. Vendre ses parts à Michael reviendrait aussi à renoncer à son rêve secret de le dépasser, de devenir à son tour celui qui a les meilleurs résultats commerciaux.

— Il faudra que je fasse un emprunt, reprit Michael. C'est lourd, mais ça vaut peut-être mieux pour nous tous.

— Hello tout le monde.

Angela s'assit à leur table et soupira bruyamment pour mettre en scène son exaspération, avec néanmoins un petit sourire aux lèvres. Jonathan la connaissait par cœur.

— Comment vas-tu bien ? éructa Michael.

— Ta fille a refusé de se brosser les dents, dit-elle en lançant le menton en direction de Jonathan. Bien sûr, j'ai pas cédé. J'ai dû me battre pendant dix minutes… Résultat, on a trouvé porte close à l'école. Elle a dû sonner chez le gardien et s'est fait engueuler. Tant pis pour elle.

— Café allongé, comme d'habitude ? demanda Michael sans se départir de son sourire.

— Non, un double, dit Angela en soupirant à nouveau.

Michael passa la commande. Angela posa sur Jonathan un regard accompagné d'un sourire acide.

— T'as l'air serein, toi. Détendu...

Il ne releva pas. Elle glissa les doigts dans ses cheveux châtain clair dont la pointe caressait ses épaules.

— Tu m'as reproché, dit-elle, de m'occuper plus de mes plantes que de ma fille mais...

— Je t'ai jamais reproché ça, protesta Jonathan sur un ton déjà vaincu.

— Mais mes plantes, vois-tu, elles ne se roulent pas par terre en hurlant.

Jonathan réprima un sourire, puis but son café sans rien dire. Ils étaient séparés depuis trois mois, mais elle continuait de lui faire des reproches comme avant. Et soudain, il sentit que, bizarrement, ça lui plaisait. Ça lui donnait le sentiment que leur relation continuait malgré tout. Il réalisa alors ce qu'il ne s'était jamais avoué : au fond de lui sommeillait l'espoir de renouer.

Vendre ses parts à Michael lui retirerait cet espoir, en brisant son dernier lien quotidien avec Angela.

Il fila à son premier rendez-vous, abandonnant ses associés à la terrasse. La liste des prospects à visiter était longue. Dure journée en perspective, mais on était à la veille du week-end. Il aurait tout le temps de se reposer.

Il était loin de se douter que deux jours plus tard, sa vie allait basculer à tout jamais.

# 2

*Le visage, de profil, légèrement crispé. Il se lève, salue brièvement, puis tourne le dos et s'éloigne.*

Le puissant zoom Nikon suivit le mouvement de Jonathan jusqu'à ce qu'il quitte la terrasse. La silhouette devint floue. Ryan arrêta la caméra, se redressa et regarda le jeune homme s'éloigner à travers les voilages noirs de la fenêtre, au deuxième étage de son immeuble de l'autre côté de la place.

— Aucun sens de la repartie, se laisse marcher sur les pieds sans rien dire... Plutôt drôle, mais ça décolle pas vraiment. Disons... 10/20, à peine, marmonna-t-il dans sa barbe.

Il essuya ses maintes moites sur son jean et tira sur le bas de son tee-shirt noir pour éponger la sueur de son front. Le noir, c'est pas salissant, c'est l'avantage.

En promenant son regard sur la terrasse du café, il repéra deux femmes assez élégantes. Il connaissait l'une d'elles pour l'avoir déjà filmée à deux ou trois reprises, sans succès. Il braqua sur elles la caméra couplée à son nouveau micro parabole ultra-directionnel. Il remit le casque sur ses oreilles et la voix des femmes surgit avec une clarté étonnante. Ryan ne regrettait pas son achat : à plus de quatre-vingts mètres, il les entendait aussi distinctement que s'il était assis à leur table.

— Si, c'est vrai, disait l'une. Je t'assure. Pourtant, je les avais bloquées à l'avance. Au moins six mois. Et j'avais tout réservé, bien sûr. Avion, hôtel. . La totale.

— C'est vraiment pas cool, répondit l'autre en secouant la tête. T'as pris une assurance annulation ?

— Bien sûr ! Tu penses, il m'a déjà fait le coup il y a trois ans. Maintenant, je me méfie.

— Si j'étais toi, je changerais de boîte. Avec le CV que t'as, tu trouves ce que tu veux. Moi, je suis plutôt coincée…

Ryan filma un certain temps, en vain. La semaine d'avant, il avait découvert que la fenêtre de sa chambre, de l'autre côté du bâtiment, donnait sur le jardin de la jeune femme, à quatre-vingt-quatorze mètres. Un peu loin mais, avec un doubleur de focale, c'était jouable, s'il y avait vraiment un truc à filmer. L'appartement de Ryan offrait décidément un emplacement de choix, au deuxième étage. L'immeuble donnait d'un côté sur la place, juste à l'angle avec vue plongeante sur la terrasse du café, de l'autre sur l'enfilade de jardins des maisons et des immeubles, jardins où se déroulaient souvent des scènes familiales qui n'étaient pas piquées des hannetons. Plusieurs avaient atteint la barre fatidique des 12/20, seuil fixé par Ryan pour être publié sur son blog.

Il but une gorgée de Coca, puis balaya du regard la terrasse. Il repéra un couple inconnu d'une cinquantaine d'années en pleine discussion et braqua sur eux la caméra.

— Quand je te parle, disait la femme, j'ai l'impression de parler à une statue de cire.

Ryan zooma sur la tête du mari, mi-contrite, mi-absente.

— Et encore, reprit la femme, la cire fond au soleil. Toi, rien ne te fait fondre, tu restes froid. Une statue de marbre, plutôt. Oui c'est ça, du marbre. Comme une tombe. T'es pas plus bavard qu'une tombe. Incapable de communiquer...

En entendant ces mots, Ryan ressentit une bouffée de haine et coupa la caméra.

*Incapable de communiquer.* Le reproche qu'on lui avait fait dès son entrée dans la vie active, son diplôme d'ingénieur en poche. Ce reproche résonnait encore dans sa tête, sept ans plus tard.

Il revoyait le DRH, avec sa tête enfarinée, lui expliquer sur un ton doucereux sa théorie fumeuse à la con. *Il y avait plusieurs formes d'intelligence*, selon lui, pourtant mal placé pour aborder ce sujet. *L'intelligence rationnelle n'était pas la seule. L'intelligence émotionnelle aussi avait son importance.*

L'intelligence émotionnelle... Qu'est-ce qu'on n'inventait pas pour rassurer les cons... Pourquoi pas l'intelligence musculaire, l'intelligence digestive, l'intelligence défécatrice ?

La vérité est qu'il avait été viré parce qu'il ne s'abaissait pas comme les autres au niveau des abrutis pour leur parler. Voilà ce qu'on attendait de lui, en fait. Au royaume des crétins, ceux qui parlent le langage des cons sont rois. On devrait l'enseigner à Berkeley ou Stanford plutôt que le langage C ou le Visual Basic. D'ailleurs, en politique, c'est pareil : sont élus ceux qui disent aux gens les conneries qu'ils ont envie d'entendre. Plus c'est stupide, plus ça marche.

Ryan respira profondément pour calmer sa tension. Il ne manquerait plus qu'il fasse un AVC. Comme ça, les cons auraient eu sa peau.

Chaque fois qu'il se repassait le film de son début de carrière, c'était pareil. Il revoyait les scènes de recrutement qui avaient suivi son licenciement. On le torturait pour connaître les raisons de son départ précoce. Ces entretiens, humiliants, où on lui posait des questions personnelles, scandaleusement intimes. *Qu'est-ce que mes hobbies ont à voir avec le poste ?* avait-il eu envie de leur crier. *Qu'est-ce que ça peut vous foutre si je suis en couple ou pas ?* Il aurait dû le leur dire, les envoyer balader tout de suite, et surtout refuser ces mises en situation, ces jeux de rôle à la noix... Et toujours leurs conclusions hâtives, ridicules, minables : *Surveiller le relationnel... Aura du mal à travailler en équipe... Incapable de communiquer.*

Ryan effaça le dernier enregistrement.

Maintenant, il devait se contenter d'un poste de programmeur de base, payé une misère. Le télétravail était le seul intérêt de ce job à temps complet qu'il torchait en une demi-journée.

Il but trois gorgées de Coca, l'esprit torturé, puis se tourna vers l'écran de son ordinateur. Cent soixante-seize *like* et douze commentaires pour son dernier post, la vidéo du type qui change quatre fois d'avis en passant commande, puis mange son hamburger l'air abattu en confiant à son pote que, finalement, il aurait préféré un hot dog. Une pure tronche d'idiot du village. À mourir de rire.

Son blog, le *Minneapolis Chronicles*, regorgeait de scènes de ce genre. Des bannières publicitaires lui rapportaient quelques dollars par-ci, par-là. Toujours ça de pris. Il avait hésité à le baptiser *La vie des cons*, mais avait préféré faire référence explicitement à une ville éloignée de San Francisco. Il filmait en gros plan, donc impossible de reconnaître les lieux. C'était un leurre pour être tranquille. La loi californienne était formelle : il fallait l'accord préalable de toutes les personnes présentes avant de filmer dans un lieu public. À Minneapolis, au fin fond du Middle West, on était libre de filmer ce qu'on voulait.

C'est ainsi qu'il partageait ses fous rires avec un petit groupe de fidèles visiteurs du site. Puisque la société est organisée par les cons pour les cons, se disait-il, mieux vaut en rire que de se lamenter et de faire un ulcère.

À force de filmer les gens du quartier, il finissait par connaître leurs prénoms, et des bribes de leur histoire. La plupart étaient sans intérêt, déprimantes de banalité et de médiocrité, mais parfois la connerie rendait la médiocrité savoureuse.

Ryan reprit une gorgée de Coca, puis jeta son dévolu sur deux jeunes femmes attablées devant de grands bols de thé fumant. L'une d'elles allait bientôt se marier et racontait son projet de vie à sa copine. Ryan ne put s'empêcher de sourire en entendant le ton doucement naïf de la future jeune mariée. Elle avait du potentiel.

Il affina ses réglages. En ouvrant son objectif à f8, il avait suffisamment de profondeur de champ. Et un piqué à démasquer les faux cils et les points noirs recouverts de crème.

— Avec Bob, on partage tout, disait-elle.

— T'as de la chance, dit l'autre. Moi, Kevin, il trouve toujours une raison de pas débarrasser la table. Étendre le linge non plus. Ça me soûle, à la fin.

— Ouais, je vois. Avec Bob, on se partage les rôles, les tâches, tout. Même pour les sous, on se répartit bien les dépenses. Tout est clair.

— Oh, c'est bien, ça. Nous, y a pas de règles...

— Tiens, tu vois, par exemple, pour l'appart qu'on va acheter, eh ben Bob, il m'a dit : « Le mieux, c'est de se répartir les dépenses : on met l'appart à mon nom et c'est moi qui paye toutes les mensualités. Je m'occupe de tout. Toi, tu payes les impôts, les factures, la bouffe, les vacances. » Il a calculé que ça revenait au même, comme ça, c'est équitable et on n'a pas à se prendre le chou.

— Mais... et si vous divorcez un jour... il aura l'appart... et toi... t'auras plus rien ?

— Ah... tout de suite... C'est l'homme de ma vie, on va se marier, et toi tu penses divorce.

— Mais...

— Tu crois pas à l'amour, toi...

Ryan se mordit les lèvres. Il filma quelques secondes de plus, au cas où, puis coupa. Enfin, il explosa de rire.

— Eh bien, voilà ! T'as gagné ton ticket pour Minneapolis, ma jolie !

## 3

Le brouillard venait de s'effacer sur la baie de San Francisco, et l'île d'Alcatraz apparaissait soudain au loin, cernée de bleu. Le vent chaud sentait bon la mer, et l'on entendait le cliquetis des drisses sur les mâts des voiliers amarrés. Jonathan inspira de toutes ses forces. Il aimait ce moment des jours d'été où la brume matinale se dissipe comme par magie, cédant la place à un soleil radieux inconcevable quelques secondes plus tôt.

Il était plutôt rare qu'il vienne le dimanche sur les quais, un peu trop touristiques à son goût, mais ce jour-là, il s'était senti attiré malgré lui. Il est vrai qu'il détestait les fins de semaine sans sa fille, quand la dure loi du week-end sur deux le laissait seul, très seul. Mais il avait pris l'habitude de sortir les rares jours de *Sunday Streets* : toute une partie de la ville devenait piétonnière, les rues enfin offertes aux promeneurs et aux cyclistes.

Le début de matinée avait été pénible : il avait dû arracher à la main le trèfle dans le jardin derrière la maison, et pulvériser du sulfate de fer côté rue, pour éradiquer la mousse.

Autour de lui, sur la jetée, les badauds affluaient dans une insouciance positive et conviviale. Les enfants sautillaient, éclataient de rire, léchaient des glaces énormes qui dégoulinaient le long des cornets. Le parfum iodé de la brise marine était interrompu çà et là par des effluves de gaufres ou de beignets chauds émanant des échoppes avoisinantes. Des bribes de conversations résonnaient dans un joyeux brouhaha.

Le flot des passants le conduisit tout naturellement au coin de la jetée d'où l'on apercevait des phoques amassés sur les îlots flottants. Il les avait déjà vus cent fois mais ne pouvait s'empêcher de jeter un coup d'œil lorsqu'il passait à proximité. Leurs corps luisants étaient agglutinés les uns contre les autres, comme ceux des touristes moites qui se pressaient sur le garde-corps pour les observer, les premiers demeurant totalement indifférents au voyeurisme des seconds.

Il ne put s'empêcher de se demander qui serait responsable si la balustrade venait à céder sous la pression, précipitant les curieux dans l'eau froide du Pacifique. L'entreprise l'ayant fabriquée ? L'installateur ? Ou les gérants de Pier 39, qui avaient fait de cette jetée un espace commercial attirant les foules ? Depuis qu'il vendait des assurances auprès des commerçants de la région, son esprit était pollué par ce genre d'interrogations. Une vraie déformation professionnelle.

Il poursuivit son chemin en suivant le quai, frôlé de temps à autre par un jeune en rollers. Un petit groupe de jazz aux cuivres étincelants reprenait un standard de Sidney Bechet. Un peu plus loin, un homme d'une soixantaine d'années tapotait nerveusement les poches de ses vêtements.

— Il n'est plus là ! dit-il. Il n'est plus là !

— Quoi ? demanda la femme à grosses lunettes qui se trouvait à ses côtés. De quoi tu parles, encore ?

— Mon portefeuille ! Il a disparu !

— T'as dû le laisser à l'hôtel. Tu oublies tout en ce moment…

— Mais non… Je l'avais… J'en suis sûr… Je… Ah ! il est là ! Dans ma poche arrière, dit-il en palpant sa fesse gauche.

— Tu perds la tête, mon pauvre ami…

Jonathan regarda le vieux couple d'un air attendri. Il était peu probable qu'il connaisse un jour ce genre de relation.

Angela et lui étaient restés ensemble pendant sept ans. Et lorsqu'elle l'avait quitté, lui reprochant à tort de l'avoir trompée, il avait ressenti un véritable choc, une période d'abattement, puis la solitude, et le manque.

Le tintement de la sonnette d'une bicyclette le tira de ses pensées.

Les voitures bannies des rues, les piétons et les cyclistes reprenaient leurs droits, s'appropriant gaiement la chaussée. Les feux tricolores avaient capitulé, clignotant désespérément à l'infini. Au fil du temps, la foule devenait de plus en plus dense, sillonnant les rues, répandant sa bonne humeur dans les moindres recoins de la ville.

De temps en temps, Jonathan jetait un coup d'œil à son portable pour surveiller l'arrivée d'e-mails ou de SMS. Les commerçants réglaient parfois leurs problèmes administratifs le dimanche et lui envoyaient alors un e-mail. Même s'ils l'importunaient parfois, ces contacts atténuaient en lui le douloureux sentiment d'être seul. Avoir l'esprit affairé est un bon moyen pour éviter de penser à ses problèmes, se disait Jonathan. À défaut d'être heureux, il était occupé.

Il avançait tranquillement quand son attention fut attirée par un attroupement particulièrement animé. Une danseuse entraînait avec elle une bonne centaine de participants sur une musique très rythmée diffusée par de hautes enceintes.

— Elle est douée, n'est-ce pas ? lui souffla une dame âgée qui portait un chapeau rose à large bord. C'est Babeth, une Française. Elle vient ici chaque *Sunday Streets*, et elle entraîne toujours plus de monde avec elle. Quelle énergie…

Jonathan avait lui aussi des origines françaises, par sa mère. Il était né en Bourgogne où il avait vécu une partie de son enfance, dans un petit village du Clunisois. Son père, un Californien pure souche, y avait appris les secrets du métier de viticulteur en travaillant pour un château réputé. Il y avait rencontré celle qui allait devenir sa femme. Quelques années plus tard, la famille était venue s'installer dans le comté de Monterey, au sud de San Francisco, où ils avaient repris un domaine viticole en perdition. Une décennie de labeur avait permis de remonter lentement la pente, et leur vin avait fini par acquérir une certaine réputation. Puis, un jour de mars, une tornade dévasta complètement les vignes. Mal assurée, la propriété avait été condamnée à la faillite. Son père ne s'en était jamais remis.

Les joyeux danseurs parvenaient à coordonner parfaitement leurs mouvements, tous ensemble. On aurait dit que quelque chose les reliait. Jonathan sentit monter en lui l'envie de les rejoindre, de se glisser parmi eux et de se fondre dans le rythme prenant de la musique. Il hésita un peu, par une sorte de timidité déplacée, puis ferma les yeux, sentant les percutions vibrer dans son corps. Il allait se décider et franchir le pas quand on saisit sa main. Il eut un mouvement de recul tout en ouvrant les yeux. Une jeune femme se tenait devant lui, serrant doucement sa main entre ses doigts fins et mats. Une bohémienne. Fluette, elle disparaissait presque dans les replis de ses vêtements sombres.

— Je vais lire ton avenir.

Elle le fixait de ses beaux yeux noirs. Regard dense, profond, bienveillant sans être souriant. Autour d'eux, la foule les frôlait en défilant.

Le regard de la jeune femme descendit alors sur la main de Jonathan. Ses doigts chauds et doux écartèrent lentement les siens, d'une douce pression qui ressemblait à une caresse. Il se sentit troublé par la sensualité de son toucher. Elle se pencha légèrement sur sa paume. Il se laissa faire, immobile, savourant presque ce contact obligé, et aussi, bien sûr, curieux de savoir ce qu'elle allait lui prédire.

Le visage impassible de la bohémienne avait des traits réguliers, de longs cils noirs à peine recourbés, et ses cheveux noirs épais étaient joliment tirés en arrière.

Subitement, ses sourcils se froncèrent, et des plis se formèrent sur son front. Elle redressa lentement la tête, la mine défaite. Jonathan capta son regard, totalement changé, et cela lui glaça le sang. Elle-même avait l'air décontenancée, très perturbée.

— Qu'est-ce qu'il y a ?

Elle secoua la tête et relâcha sa main, muette.

— Qu'est-ce que tu as vu ?

Le visage fermé, elle recula en baissant les yeux. Jonathan se sentait très mal.

— Quoi ? Qu'est-ce qu'il y a ? Dis-moi !

Elle regardait fixement devant elle, sa bouche tremblant imperceptiblement.

— Tu... tu vas...

— Oui ?

— Tu vas...

Soudain, elle tourna brutalement les talons et s'enfuit.

— Attends-moi, Lisa ! cria alors une voix forte parmi les passants.

C'était une autre bohémienne, au physique beaucoup plus imposant. Mais la dénommée Lisa fuyait, se glissant entre les gens avec la souplesse d'un chat.

Jonathan s'élança à son tour mais, à cet instant, un vélo lui coupa la route, immédiatement suivi d'un autre. Une famille complète défila à bicyclette devant lui sans laisser le moindre espace. Il fulmina, mais s'efforça de ne pas la quitter des yeux, angoissé à l'idée de la perdre de vue. Il était au bord de la panique. Il fallait absolument qu'il la rattrape, absolument qu'il sache.

La voie libérée, il se jeta à sa poursuite. La bohémienne était déjà loin, il ne l'apercevait plus que par intermittence, dans la mêlée de corps et de visages. Il sentait la partie perdue... Mais il voulait y croire. Il fallait qu'il la rattrape, il le fallait, coûte que coûte. Il fonça, joua des coudes, força le passage comme un fou. Les protestations fusèrent ; il ne se retourna même pas, les yeux vissés sur la silhouette fluide, de peur qu'elle ne disparaisse. À un moment, il eut l'impression de se rapprocher, et il accéléra encore l'allure. Soudain, le bras puissant d'un homme fort le repoussa violemment en arrière.

— Oh ! Vous allez renverser quelqu'un !

Il ne répondit pas et plongea entre deux touristes japonais. Il ne se redressa que quelques mètres plus loin. Où était-elle ? Où était-elle ? Il scruta frénétiquement la foule. On le bouscula ; on s'excusa. Il fouilla des yeux la mer de visages. Vite ! Soudain, une longue natte de cheveux noirs émergea sur la droite. Il se jeta de toutes ses forces dans sa direction, les bras en avant pour mieux se glisser entre les gens. Il cria pour prévenir. Qu'ils se poussent, bon sang !

Soudain, il vit son profil, c'était bien elle ! Il se projeta dans sa direction, il courut, il zigzagua, et finit par se rapprocher. Il se lança en avant et lui saisit le bras.

Elle se retourna vivement et lui fit face, le fusillant des yeux. Jonathan était totalement hors d'haleine ; elle semblait aussi essoufflée que lui. La sueur perlait sur son visage, soulignant ses yeux noirs. Ses narines se soulevaient au rythme de sa respiration saccadée.

— Dis-moi ! J'ai le droit de savoir !

Elle continua de le fixer, haletante, mais désespérément bouche cousue.

— Je veux savoir ce que tu as vu ! Dis-le-moi !

Il la tenait fermement. Les passants dont ils entravaient la marche les ballottaient par moments. La jeune femme ne cillait pas. Jonathan ne savait plus quoi faire.

— Dis-moi combien tu veux et parle !

Elle resta silencieuse.

En désespoir de cause, il accentua fortement la pression sur son bras. La douleur embua légèrement ses yeux, mais elle continua de le toiser en silence, interdite. Il serra encore. Ses lèvres restaient désespérément jointes...

Dégoûté, il réalisa qu'elle ne parlerait jamais. Leurs yeux restèrent vissés les uns dans les autres, sans issue. Il finit par lâcher son bras.

Étonnamment, elle ne bougea pas et resta là, face à lui. Il était désemparé.

— S'il te plaît...

Elle ne le quitta pas des yeux. La cohorte des passants s'ouvrait devant eux puis se refermait, les encerclant dans leur cortège.

Jonathan continuait de la regarder sans plus rien demander. D'ailleurs, il n'attendait plus rien.

Au bout d'un moment, elle prit lentement la parole, comme à regret.

— Tu vas mourir.

Puis elle se retourna et disparut dans la foule.

# 4

Ce n'est pas tous les jours qu'on vous annonce votre mort. La prédiction en forme de sentence avait secoué Jonathan. Il s'était retrouvé seul, abasourdi, au milieu de ce troupeau de passants exaspérants de bonne humeur.

Dans la soirée, sa raison avait progressivement repris le dessus. Jusqu'à ce jour, il n'avait jamais accordé la moindre attention à ces diseuses de bonne aventure, pas plus qu'aux voyantes, cartomanciennes et autres astrologues. Il mettait d'ailleurs tout ce petit monde dans le même sac, celui de ceux qui misent sur la crédulité des pauvres gens pour se faire de l'argent à leurs dépens. Lui, Jonathan Cole, avait fait des études et s'estimait raisonnablement intelligent. Ne fallait-il pas être stupide pour prêter le moindre crédit à ces sornettes ? Allez, ne surtout pas se laisser déstabiliser.

Ne surtout pas se laisser déstabiliser, se répétait-il en boucle depuis deux jours. Mais quelque chose clochait dans le raisonnement qu'il avait élaboré pour se rassurer :

la parole de la bohémienne ne pouvait pas avoir été dictée par une motivation financière : elle s'était enfuie sans rien réclamer…

Ne plus y penser. Dès qu'il sentait venir en lui un début d'appréhension, il parvenait à détourner son attention en lisant les news sur son smartphone ou en se plongeant dans ses e-mails. Rêver à ses projets était aussi un bon moyen de penser à autre chose. Son projet de déménagement, par exemple. Dès que ses résultats lui permettraient de se verser un meilleur salaire, il louerait une maison un peu plus grande, pour que Chloé ait sa chambre quand elle lui rendrait visite. Il en avait marre d'ouvrir et de fermer le canapé-lit du salon. Après quoi il pourrait songer à changer de voiture, l'occasion de se faire un peu plaisir…

Le troisième matin, il se leva avec une douleur à la tête, localisée et assez forte. Il suffit de quelques secondes à son esprit fébrile pour faire le lien. L'inquiétude le prit… et le tarauda. Une demi-heure plus tard, il décrocha son téléphone.

— Je voudrais un rendez-vous avec le docteur Stern.

— Un instant, je regarde ses disponibilités, répondit une voix féminine aussi professionnelle qu'impersonnelle.

— C'est… une urgence.

Un air de piano, mièvre et sirupeux. Il patienta, tandis que l'anxiété continuait de monter en lui. Dans sa tête, les idées jaillissaient, désordonnées. Il se voyait déjà hospitalisé, opéré du cerveau. Au fait, son assurance couvrait-elle bien ce genre d'interventions ?

— Ne quittez pas, j'ai un autre appel.

Le piano, encore, dégoulinant de douceur.

Par la fenêtre ouverte, il entendait crier Gary, le marchand de muffins. La cour de son arrière-boutique se prolongeait par un carré de pelouse qui jouxtait le jardin arrière de la maison de Jonathan. Pendant les vacances scolaires, ses gamins y passaient le plus clair de leur temps, et Gary leur râlait dessus à la moindre occasion. Les pauvres mômes en prenaient plein la tête pour un rien. Il faut dire que son affaire semblait peu prospère ; malgré la bonne qualité de ses muffins, les clients étaient rares et ses fins de mois devaient être difficiles...

Le piano n'en finissait pas. Soudain, Jonathan se reprit. Les maux de tête, il en avait déjà eu dans le passé, alors pourquoi s'alarmait-il cette fois ? Il sentit la colère monter en lui, et finit par raccrocher le combiné. Tout ça était la faute de cette fichue bohémienne ! Si elle ne lui avait pas mis ces idées idiotes dans le crâne, il n'en serait pas là !

Il était furieux. Furieux contre elle, furieux contre lui-même de se laisser influencer malgré lui. Comment avait-elle pu oser affirmer une chose pareille ? De quel droit ? Qu'est-ce qu'elle en savait réellement, au fond ? Hein ? Et si vraiment il devait mourir, ce serait quand ? C'est la seule chose qui compte, non ?

Il sortit prendre son petit déjeuner à l'extérieur. Besoin de se changer les idées avant de retrouver ses associés, même s'il n'avait pas beaucoup de temps.

Dehors, l'air était encore frais. Il respira profondément. L'une des dernières choses gratuites en ce bas monde. Ils trouveraient bien un moyen de nous le facturer, le jour où on serait obligé de le purifier, par exemple. Il se félicita d'avoir signé la pétition en ligne pour demander l'interdiction des véhicules les plus polluants.

Pour faire vite, il se rendit chez Gary's. En entrant, il fut saisi par l'odeur de grains de café fraîchement torréfiés. L'ambiance était tristounette – un seul autre client, dans un coin –, mais les muffins y étaient bons, bien que petits pour le prix.

Gary s'approcha en silence et grommela un « Bonjour » à peine audible. Ses petits yeux un peu plissés étaient surmontés d'épais sourcils noirs toujours froncés, tandis que sa bouche se dissimulait sous une barbe qui le faisait ressembler à un gros ours.

Il prit sa commande, aussi peu loquace que d'habitude et avare en sourires. Chez lui, le manque de générosité se déclinait sur tous les plans.

Perché en haut d'un mur de briquettes rouges, un écran diffusait le visage de la journaliste de CNN qui interviewait Austin Fisher, le champion de tennis. S'il remportait le tournoi, il pulvériserait le record absolu du nombre de victoires en Grand Chelem. La pression était donc forte, expliquait la journaliste d'un ton un peu pinçant. Surtout qu'Austin Fisher n'avait encore jamais réussi à s'imposer à Flushing Meadow, où la surface rapide ne lui était pas favorable, rappelait-elle en appuyant malicieusement là où ça fait mal.

Jonathan fixa le visage combattant du champion dont la silhouette envahissait maintenant l'écran, le logo Nike imprimé un peu partout sur les vêtements. Il reconnut tout de suite les images d'un match rediffusé, prises lors de sa dernière victoire. Rarement souriant, il avait un jeu d'une cruelle efficacité qui lui donnait un côté implacable. C'est peut-être pour ça qu'il ne suscitait guère l'enthousiasme des supporters, malgré le formidable dépassement de soi qu'il incarnait.

En mangeant un muffin, Jonathan réalisa soudain que son mal de tête avait disparu.

À la fin du petit déjeuner, sa décision était prise. Il retrouverait la bohémienne et lui demanderait les explications qu'elle lui devait. Il n'y a rien de pire que l'incertitude et le flou. L'esprit s'en empare et cherche désespérément les réponses qui lui manquent. Il n'avait pas l'intention de passer le reste de sa vie à cogiter comme un fou, ni à vivre dans la peur sans raison. Le week-end prochain, il en saurait plus.

Il régla l'addition et contrôla la monnaie rendue. La fois d'avant, il avait failli se faire avoir : Gary lui avait rendu sur cinq dollars au lieu de dix. Jonathan se demandait s'il ne l'avait pas fait exprès.

Le reste de la semaine se passa sans souci. Il se consacra à son travail, se battant au quotidien pour atteindre les objectifs que ses associés et lui s'étaient assignés.

Cela aurait le mérite de clouer le bec de Michael qui lui avait dit un jour, à moitié mort de rire : « Si j'étais un client, ta tête m'inspirerait pas confiance. » Régulièrement, cette phrase surgissait du passé, il revoyait la scène et elle tournait en boucle dans son esprit qui s'emplissait alors du désir de revanche. Battre Michael devait être possible, en travaillant sans relâche.

Le vendredi venu, Jonathan réalisa soudain que la garde de Chloé l'empêcherait de retourner voir la bohémienne ce week-end. Inconcevable de l'emmener avec lui... Et pourtant, il ne se sentait pas capable d'attendre plus longtemps. Il *fallait* qu'il la voie, qu'il lui parle. Il n'avait pas le courage de se tourmenter huit jours de plus.

Il finit par décrocher son téléphone.

— Angela, c'est moi, Jonathan.

Silence au bout du fil.

— Allô ? dit-il.

— Je t'écoute, Jonathan…

— J'ai… un petit souci… Je…

— Laisse-moi deviner : t'es pas libre ce week-end ?

— Non mais… si… enfin…

— Va droit au but, Jonathan. J'ai à faire. Les plantes m'attendent…

— Je voudrais juste te ramener Chloé plus tôt que prévu, dimanche.

Silence.

Un soupir à l'autre bout du fil.

Jonathan n'insista pas.

Le week-end arriva. Du haut de ses sept ans, Chloé déversa comme à l'accoutumée sa bonne humeur dans la petite maison. Samedi, ils partirent pour Stinson Beach. Le vent avait soufflé assez fort la nuit précédente et les vagues, un peu plus grosses que d'habitude, se fracassaient sur le sable en pulvérisant des embruns à l'odeur salée.

Elle passa la matinée à jouer sur la plage, creuser une piscine dans le sable, faire des châteaux et – son jeu préféré – courir dans l'eau en sautant à l'arrivée de chaque vague.

— Papa ! Viens jouer !

— Plus tard, ma chérie…

Il l'observait du coin de l'œil, tout en répondant à des e-mails de clients. S'il les laissait s'accumuler, ça deviendrait ingérable.

— Allez, papa…

Elle finit par réussir à l'entraîner au bord de l'eau, et elle se suspendit à son cou en hurlant, l'éclaboussant de cette eau atrocement froide. Ses rires couvraient les protestations de Jonathan.

Ils s'installèrent sur la terrasse de *Parkside Cafe* pour déjeuner, à l'ombre d'un grand pin parasol qui diffusait le parfum de ses millions d'épines chauffées au soleil. Puis Chloé se précipita vers l'aire de jeux d'en face.

— Viens avec moi ! supplia-t-elle.

— Vas-y, je te regarde.

Il s'assit sur un banc, enviant la joie de vivre de sa fille et son insouciance. Il la regarda jouer et essaya de profiter de ce moment, mais comment se détendre quand on a l'esprit encombré de mille et une choses à faire dont on sait qu'elles s'accumulent pendant qu'on reste là, immobile, inactif ? Elles se rappelaient à lui comme des aiguillons sous forme de pensées furtives qui l'assaillaient, l'une après l'autre : la cave à ranger, les milliers de photos à dupliquer et sauvegarder avant qu'un accident ne les détruise, les courses à faire – penser à racheter du Sopalin –, profiter de l'été pour repeindre les volets avant qu'ils ne pourrissent, laver la voiture, arroser le jardin et, bien sûr... arracher les trèfles dès qu'ils repousseront. Ah... et puis oui, bon sang : répondre à Tatie Margie qui lui avait adressé ses nouvelles dans une jolie lettre manuscrite comme on n'en fait plus. Ça faisait bien un mois... La honte...

Soudain, l'image des bohémiennes traversa son esprit. Il les imaginait, officiant vers la jetée, devant Pier 39. Huit jours de plus à patienter... Cruelle attente.

— Allez papa...

Jonathan secoua la tête, se forçant à sourire. Avec toutes ses préoccupations, comment aurait-il pu jouer avec sa fille ?

Mais Chloé ne le lâcha pas. Elle s'approcha de lui.

— Alors, raconte-moi une histoire !

— Bon, OK.

— Ouais ! Ouais ! Génial !

Elle lui sauta au cou.

— Alors… c'est l'histoire…

À ce moment, le téléphone sonna. Le numéro d'un prospect qu'il cherchait à joindre depuis deux jours.

— Ma chérie… une minute, c'est un appel important. Surtout, pas de bruit… chut !

Le lendemain, ils partirent faire du vélo au bord de l'eau. Arrivés à Lombard Gate, ils bifurquèrent vers l'ouest, tournant soigneusement le dos à la jetée maudite. Ils prirent la promenade du Presidio, glissant entre les jolies maisons de la côte et les grands conifères se détachant sur le ciel. Ça sentait bon l'air marin. L'océan s'étendait d'un bleu saphir à perte de vue, à peine ridé par les douces ondes du vent. De temps à autre apparaissait la silhouette élancée du Golden Gate, comme si un peintre malicieux s'était amusé à refermer la baie d'un coup de pinceau orange. Chloé pédalait à toute vitesse sur son petit vélo, ravie, débordante d'un bonheur contagieux, avec aux lèvres un large sourire qui emplissait de joie Jonathan. Il en parvenait à oublier la prophétie révoltante qu'on lui avait faite. Mais soudain, au détour d'un des nombreux virages de la piste, apparut le National Cemetery, et la vision de ces milliers de croix blanches dont on avait saupoudré les collines lui plomba brutalement le moral pour le reste de la promenade.

Il ramena Chloé chez sa mère à l'heure habituelle, précisément. Comme chaque fois, il lui sourit pour cacher l'habituelle déchirure de la séparation. Il attendit que la porte de la petite maison jaune se referme, puis démarra en hâte. 19 h 01. *On ne sait jamais.* Les touristes auraient sans doute déjà quitté la jetée pour rejoindre leurs hôtels, et les promeneurs du dimanche, leurs maisons familiales. Mais ça valait le coup de tenter. L'action soulage l'angoisse.

Il lutta contre la tentation d'un excès de vitesse – il n'avait assurément pas envie de se payer un PV –, puis tourna nerveusement un bon quart d'heure pour se garer dans le quartier du port. Il courut vers la jetée, l'estomac noué. Il avait une sorte de trac, et plus il s'approchait de la place, plus les muscles de ses jambes se raidissaient. Contre toute attente, l'endroit était encore bondé de promeneurs profitant de la douceur du soir. Il monta sur un banc pour balayer le lieu des yeux, de long en large, à plusieurs reprises. Pas de trace des bohémiennes. Il traversa la place, fouillant la foule du regard, cherchant les longs cheveux noirs, scrutant les visages. Rien. Il remonta la jetée jusqu'au bout, puis revint en longeant l'autre quai. Il était sur le qui-vive, à l'affût. En vain. La frustration montait lentement en lui. Il se dirigea vers un glacier ambulant.

— Qu'est-ce que je vous sers ? demanda le gars, la cinquantaine, mat de peau et les cheveux corbeau, raides et mal coupés qui retombaient sur son visage.

— Juste une question : est-ce que vous avez vu les bohémiennes aujourd'hui ? Vous savez, celles qui lisent dans les lignes de la main...

Le gars plissa les yeux.

— Qu'est-ce que vous leur voulez ? dit-il d'un air suspicieux.

— L'une d'elles m'a... prédit mon avenir, et je voulais en savoir un peu plus... Je voudrais juste... une deuxième séance. Vous les connaissez ?

L'autre le dévisagea en silence un instant.

— Elles étaient là, cet après-midi. Je sais pas où elles sont, maintenant.

— Elles viennent tous les week-ends ?

— Je gère pas leur emploi du temps, moi. Madame, quel parfum ?

Jonathan resta quelques instants à étudier la foule, puis il prit à contrecœur le chemin de sa voiture. Il retenterait sa chance le week-end prochain. Mais au fond de lui, il n'y croyait plus. Il sentait déjà qu'il allait devoir apprendre à lâcher prise, oublier cette prédiction stupide qui ne prouvait rien. Si les lignes de notre main disaient des choses sur notre vie, les scientifiques le sauraient depuis longtemps, non ? Mieux valait oublier tout de suite ces bêtises. Tourner la page.

Il repensa soudain à John, ce copain de fac qui, muni d'un pendule, lui avait prédit... un fils. Il ne put s'empêcher de sourire à cette idée, et c'est alors qu'il la vit, à quelques pas devant lui. Non pas celle qui avait lu dans sa main, mais l'autre, plus forte et plus âgée, qui l'avait appelée Lisa alors qu'elle s'enfuyait. Il bondit littéralement sur elle.

— Votre copine, où est-elle ? Je veux la voir !

Elle ne se laissa pas intimider, et le toisa d'un regard dur.

— Qu'est-ce que tu veux, toi ? dit-elle d'un ton très rustre. Tu l'as déjà vue, ma sœur. Qu'est-ce que tu veux de plus ?

Sans attendre une réponse, elle s'empara brusquement de sa main et écarta ses doigts. Il se crispa, mais laissa faire.

— Elle t'a déjà dit, Lisa, fit-elle en le relâchant sans ménagement. Tu vas mourir, toi. C'est écrit.

— Qu'est-ce qui vous permet de dire une chose pareille ? C'est scandaleux de mettre ça dans la tête des gens !

— Si t'as pas envie de l'entendre, pourquoi tu reviens ?

— Et quand est-ce que je suis censé mourir, hein ? Quand ?

Elle le regarda, dédaigneuse. Il n'y avait pas la moindre trace de pitié dans ses yeux.

— Tu devrais déjà être mort. Estime-toi heureux. Mais tu finiras pas l'année. Maintenant, fous-nous la paix.

La violence de ces propos le cloua sur place. Il la regarda s'éloigner, complètement abasourdi.

## 5

Les jours qui suivirent furent particulièrement pénibles. Jonathan avait l'impression d'avoir reçu un grand coup sur la tête. Lui qui avait refusé d'accorder trop de crédit à la première bohémienne la prenait maintenant au sérieux. Sa sœur, sa sœur odieuse au comportement ignoble, il l'avait certes détestée, mais le plus terrible était qu'il l'avait malgré tout sentie... sincère. D'une absence inouïe de la moindre compassion, de la moindre empathie, mais... sincère. Une sorte de franchise brutale, désarmante, dévastatrice.

Certes, on peut être sincère et néanmoins se tromper, être dans l'erreur tout en étant sûr de soi. N'empêche... Tout cela laissait Jonathan sans voix, totalement sonné. Il avait l'impression que le monde vacillait sous ses pieds, que sa vie semblait près de s'effondrer. Lui qui ne s'était jusque-là jamais préoccupé de la durée de son existence se surprenait maintenant à en envisager la fin, et cette idée était... inacceptable, insupportable.

Il tenta de reprendre le cours normal de sa vie. Il se força à se lever le matin à l'heure habituelle, assumant sans entrain ses responsabilités, enchaînant ses tâches professionnelles et ses corvées personnelles. Mais la prédiction des bohémiennes le hantait et, au fond de lui, il se demandait si elles n'avaient pas raison.

Après une semaine dans cet état semi-léthargique, il eut un sursaut et se décida à rencontrer le docteur Stern. Il exigea un check-up complet. Analyses de sang, radios, scanners, IRM : la totale. Le médecin rédigea l'ordonnance, tout en lui disant d'une voix détachée qu'en l'absence du moindre symptôme, l'assurance refuserait la prise en charge. On lui présenta un devis de sept mille huit cents dollars qui le laissa sans voix.

Il le vécut comme une grande injustice. Riche, il aurait pu réagir et, si nécessaire, se soigner à temps. Il rumina sa rancœur jour après jour, puis finit par se résigner. Les examens médicaux n'étaient-ils pas, en fin de compte, inutiles ? S'il devait mourir, il mourrait de toute façon. On ne résiste pas à son destin. L'histoire de Catherine de Médicis n'en témoignait-elle pas ? Son astrologue, Côme Ruggieri, lui avait prédit qu'elle décéderait près de Saint-Germain. Toute sa vie, elle se tint soigneusement à l'écart de tous les lieux portant ce nom, allant jusqu'à ordonner l'arrêt du chantier de construction du palais des Tuileries, trop près de Saint-Germain-l'Auxerrois. Mais un jour vint où elle tomba malade, tellement malade que l'on finit par envoyer un prêtre à son chevet. À l'agonie, elle se tourna vers lui et, dans un ultime effort, lui demanda son nom. Il répondit d'une voix douce et réconfortante : Julien de Saint-Germain. Les yeux de l'ancienne reine de France s'écarquillèrent d'horreur, et elle rendit son dernier souffle.

Jonathan était las. Il se sentait comme un oiseau aux ailes criblées de plomb en plein vol.

Malgré tout, il continua de se raccrocher à sa vie coutumière, même s'il devenait de plus en plus difficile pour lui d'afficher le sourire exigé par sa fonction et ses rôles d'homme, de père, ou de voisin. Rendez-vous, négo, objections, signatures, embouteillages, objectifs non atteints, d'accord monsieur le prospect, non monsieur le client, et puis aussi courses, linge, vaisselle, ménage, poubelles, factures, pétitions... La lutte quotidienne reprit ; la vie avait juste perdu la saveur qu'elle avait pu revêtir, saveur qu'il n'avait jamais songé à apprécier auparavant, mais que la perte anoblissait *a posteriori*. On ne réalise la valeur de la vie que lorsqu'elle est menacée.

Désormais, la mort planait en permanence au-dessus de Jonathan, se superposant en filigrane au déroulement de son existence. Au-delà de la peur qui le taraudait malgré lui, son esprit s'était vidé des projets qui auparavant occupaient son attention : il avait toujours eu l'habitude de se consoler du présent décevant en se projetant dans un futur parsemé de petites promesses agréables : les vacances de l'année suivante, la perspective de l'achat d'un nouveau meuble, d'une paire de chaussures, d'une nouvelle voiture, l'espoir d'une rencontre, et surtout l'attente du jour où il pourrait enfin emménager dans une maison un peu plus grande. Tout ce futur auquel il se raccrochait jusque-là lui semblait soudain confisqué. L'avenir avait disparu. Il ne lui restait que ce qu'il avait déjà, ce présent morne et jalonné de problèmes, sans plus d'espoir d'évolution.

Un matin, au moment de se lever pour se rendre au travail, il réalisa qu'il ne pouvait plus continuer comme ça. Le cœur n'y était plus, il ne trouvait plus les ressorts de sa motivation. Plus la force de se lever.

Le désarroi dans lequel il était plongé l'amenait même à remettre en cause son existence d'avant. Quel sens cela avait-il de vivre ainsi ? Où cela le menait-il ? Travailler sans cesse, se débattre dans les difficultés, en attendant le week-end pour assouvir dans les magasins les quelques désirs que la société avait réussi à faire émerger en lui, et ressentir alors une infime satisfaction qui ne durait pas. Puis travailler encore pour pouvoir recommencer le week-end suivant. La vie n'était-elle qu'une alternance d'acharnement et de plaisirs futiles et éphémères ?

Quant à son ambition secrète, se dépasser en devenant meilleur commercial que Michael, elle n'avait plus guère de sens désormais. Elle lui semblait avoir été une source de motivation dérisoire, sans réel intérêt. Son travail lui-même avait-il du sens ? Signer toujours plus de contrats… À quoi cela servait-il, en fin de compte ?

Jonathan avait besoin de faire une pause, d'interrompre cet enchaînement infernal, et de prendre du recul. De décider ce qu'il voulait faire du reste de sa vie. Si jamais il devait mourir avant la fin de l'année, que serait-il satisfait d'avoir vécu pendant ses derniers mois ?

Il réunit ses associés et leur expliqua que des problèmes personnels l'obligeaient à faire un break. Son absence n'aurait pas d'incidence financière pour eux : la répartition des revenus était proportionnelle aux contrats signés par chacun. Le suivi des dossiers en cours serait effectué par l'assistante.

— Tu seras absent longtemps ? demanda Michael.

Jonathan respira profondément. Il n'en avait pas la moindre idée.

— Le temps qu'il faudra…

Angela ne fit pas le moindre commentaire.

Ce jour-là, Michael le raccompagna gentiment à la porte du cabinet.

— J'ai bien compris que ça n'allait pas, lui dit-il en baissant la voix. Écoute, prends ton temps, et songe à ma proposition.

De retour chez lui, Jonathan jeta dans un sac de voyage le minimum nécessaire, sauta dans sa vieille Chevrolet blanche, et fonça sur la Route 101, plein sud. Libéré de l'habituel brouillard matinal, le ciel d'un bleu intense lui sembla immense.

# 6

« Nous retrouvons tout de suite Eva Campbell, notre envoyée spéciale à Flushing Meadow. »

« Oui, Tony, eh bien, figurez-vous qu'Austin Fisher vient tout juste de remporter le premier tour de l'US Open. Il n'a fait qu'une bouchée du sympathique Australien Jeremy Taylor, quarante-troisième joueur mondial. Un match impeccable, en trois sets, 6-2, 6-4, 6-3. Austin est à mes côtés... »

— Tu vas passer tout le repas à mater cette télé ? dit Angela.

Ils étaient installés à la terrasse du café de la place, près de la baie vitrée grande ouverte, et Michael avait les yeux rivés sur l'écran fixé au mur à l'intérieur.

— Je te fiche mon billet qu'il va gagner le tournoi.

— Génial, dit Angela avec ce ton sarcastique qui n'appartenait qu'à elle.

— Tu te rends compte : il battrait le record des victoires en Grand Chelem, il...

— Ça va changer ma vie.

Sur ce, elle prit le hamburger dans son assiette et croqua à pleines dents dedans.

— T'avoueras que ce serait quand même incr...

Angela lui coupa la parole, la bouche pleine.

— Chloé cessera de me réveiller la nuit, elle ne fera plus de cauchemars...

— Arrête...

— Les clients signeront les contrats sans négocier...

Michael pouffa de rire.

— Angela...

— Non mais vas-y, continue de regarder. J'existe pas...

— Écoute, on me colle ça sous les yeux, c'est irrésistible...

— En tout cas, tu résistes très bien à l'envie de discuter avec la femme en face de toi.

Michael éclata de rire.

— Tu vas quand même pas faire de moi le nouvel exutoire de tes humeurs...

Angela sourit à son tour. Michael leur resservit du vin.

— D'après toi, Jonathan va revenir ou il va arrêter ? demanda-t-elle.

— Il va revenir, certain.

Angela fronça les sourcils.

— La dernière fois, tu pensais le contraire...

— Ouais... mais finalement, je crois qu'il va prendre le dessus, se remettre au travail. Tu vois, plus j'y pense, plus je me dis que c'est le genre de type à s'accrocher. Oui, dans cette boîte, il est associé à vie.

— T'as décidé de me mettre de mauvaise humeur pour me le reprocher ensuite ?

Michael sourit.

— Non mais… je crois que tu perds ton temps à espérer. C'est peine perdue.

— Tu veux vraiment me gâcher le repas ?

— C'est sûr que votre situation est intenable…

Angela soupira, et croqua de nouveau dans le hamburger.

— Ce que les hommes sont lâches…

— Merci de généraliser…

— Incapables de prendre leurs responsabilités…

— On peut quand même pas dire ça de Jonathan.

Angela haussa les épaules.

— Le jour où je suis rentrée à la maison et que je l'ai retrouvé chez nous, avec une fille les seins à l'air, tu ne devineras jamais ce qu'il a dit.

— Vas-y…

— « C'est pas ce que tu crois… c'est juste la nouvelle baby-sitter… enfin, elle postule… »

Michael réprima un sourire.

— Ça a dû te faire un choc.

— Je lui ai demandé s'il s'apprêtait à lui faire passer un test d'allaitement. Pour notre fille de sept ans.

Michael éclata de rire.

Angela prit une bouchée, qu'elle mâcha en regardant dans le vide.

— Tu veux que je te dise ? dit Michael.

— Quoi ?

Michael prit son inspiration.

— En fait, je crois que si j'étais à ta place, c'est moi qui quitterais la boîte. Pour tourner la page une fois pour toutes.

— C'est ma journée. Je suis contente d'être venue…

— Je te donne juste mon opinion…

— Jamais de la vie ! Tu m'entends ?

— Je disais ça comme ça...

— Déjà que c'est moi qui dois élever Chloé toute seule, il faudrait aussi que ce soit moi qui cherche un nouvel emploi, par les temps qui courent... Et puis quoi encore !

— Je comprends ta réaction, mais faut penser à ton intérêt dans l'absolu, pas seulement agir en fonction de Jonathan.

— C'est pas toujours à moi de me sacrifier...

Michael but une gorgée de vin.

— Écoute, prends ton temps et réfléchis. Si tu changes d'avis, reparle-m'en. J'aurais peut-être une proposition à te faire.


La caméra opéra un zoom arrière. La terrasse apparut dans sa globalité, en plan large, puis Ryan coupa.

Tout ça ne valait pas sa prise de l'autre jour, depuis la fenêtre de sa chambre, quand il avait filmé Jonathan à quatre pattes dans son jardin, en train d'arracher des trèfles brin par brin au lieu de mettre du désherbant comme tout le monde. C'était tellement bête qu'il en avait ri tout seul. La vidéo avait eu du succès. Cent quatorze *like* et dix-sept commentaires.

Ryan but une gorgée de Coca.

Il repéra sur la terrasse deux jeunes hommes en pleine conversation. Un dialogue animé. Il tourna vers eux le micro parabole, et ajusta la prise de son. Puis il enclencha l'enregistrement.

# 7

La Route 101 longeait la baie de San Francisco sur une vingtaine de kilomètres, puis s'enfonçait dans les terres pendant près de deux heures avant de retrouver l'océan à l'approche de Monterey. En continuant un peu plus au sud, la végétation se densifiait et les pins, prédominants dans le paysage, diffusaient un parfum de vacances.

Le soleil était encore haut lorsque la vieille Chevrolet de Jonathan s'engagea dans l'allée bordée de cyprès et de bougainvilliers. La maison de sa tante apparut après le virage, une jolie maison blanche, pleine de charme sans être prétentieuse, posée dans un écrin de verdure. Il coupa le moteur et ouvrit la portière. Le doux parfum des fleurs le ramena en un instant trente ans en arrière. Il avait six ans, sa famille venait de rentrer de France, et l'on avait pour la première fois rendu visite à Tatie Margie. À sa descente de voiture, il avait été envoûté par les senteurs mêlées de roses, de clématites et de chèvrefeuille qui auréolaient le lieu d'un parfum de paradis, comme si une fée avait semé une poignée de poudre merveilleuse sur la maison et son jardin. Trois décennies plus tard, les mêmes fleurs distillaient le même sentiment.

Il s'avança vers la maison. Le gravier de l'allée crissa sous ses pas. En contrebas, une centaine de mètres plus loin, à peine caché derrière les hautes branches des pins centenaires tordus par les vents de nombreux hivers, l'océan d'un bleu profond semblait endormi.

Tatie Margie apparut sur le perron, avec le même sourire qu'elle avait arboré trente ans plus tôt en le découvrant pour la première fois, les mêmes yeux pétillants de joie, de vivacité, et même d'une certaine espièglerie rare chez une personne de cet âge.

Elle avait eu une drôle de vie. On lui connaissait trois maris et au moins autant de métiers : archéologue, elle s'était vite spécialisée dans l'étude des crânes des premiers habitants de la planète, préférant les hommes aux pierres, et avait exercé ainsi plus de vingt ans. Puis, un jour, elle décréta les vivants plus intéressants que les morts, et reprit des études, cette fois en biologie. Après quelques années de travail en laboratoire, elle créa sa propre fondation dont Jonathan n'avait jamais bien saisi l'objet. Il était question de recherche pour explorer des territoires habituellement délaissés par la science. Elle était maintenant à la retraite depuis une dizaine d'années, mais restait présidente d'honneur de la fondation. Il la soupçonnait de ne jamais avoir vraiment tourné la page, restant en contact avec les chercheurs.

— Ta chambre est prête, dit Margie. Tu peux rester aussi longtemps que tu le voudras !

Ils se serrèrent dans les bras.

— Ça fait longtemps que je n'ai pas eu de tes nouvelles, dit-elle. J'en ai conclu que tu n'avais pas de soucis.

— Margie !

58

Elle partit d'un petit rire. Elle n'avait pas tort et, au fond de lui, il culpabilisa un peu : il lui rendait en effet rarement visite quand il n'avait pas besoin d'elle, malgré l'amour sincère qu'il lui portait. Nos vies à cent à l'heure nous amènent parfois à négliger ceux qu'on aime.

— Au fait, dit-il, j'ai bien reçu ta lettre, le mois dernier. Je voulais te répondre mais j'ai pas eu le temps...

— Je suis contente de te voir ; tu as bien raison de prendre des vacances. À garder toujours la tête dans le guidon, on devient stupide.

Il prit possession de la chambre qu'elle lui dédiait, une jolie chambre au premier étage de la maison, avec des murs blancs, des meubles au charme désuet peints dans des tons pastel, une atmosphère vaguement confinée. Un peu partout, des tableaux, des gravures et de vieilles photos d'Inde, d'Égypte ou du Moyen-Orient : tous les lieux où elle avait autrefois effectué ses missions d'archéologie. Sur la table de chevet traînait un livre de Karl Jaspers. Jonathan s'approcha de la fenêtre et l'ouvrit. Léger grincement du bois sur ses gonds. L'air parfumé du jardin pénétra dans la pièce et l'enveloppa. La vue sur l'océan était saisissante. Au-delà du jardin luxuriant, le bleu s'étendait à l'infini. Jonathan se pencha au-dehors et inspira à pleins poumons des bouffées d'azur.

Le bruit et la pollution de la ville lui semblaient loin, très loin, tout comme le stress de son travail.

Le lendemain, il eut la désagréable surprise de constater une nouvelle panne de sa voiture. Il en ressentit immédiatement une forte contrariété, à la limite de la colère : ses ennuis allaient-ils vraiment le poursuivre jusqu'ici ? Allait-il devoir continuer de se débattre contre tout jusqu'à la fin de ses jours ? Était-ce vraiment son destin ?

— Est-ce que tu y penseras encore dans vingt ans ? lui demanda Margie, assez narquoise devant son désarroi.

— À quoi ?

— À cette panne.

— Ben... non, bien sûr. Pourquoi ?

— Alors oublie tout de suite, dit-elle avec malice.

Il la regarda, interloqué.

Elle semblait toute menue à côté de la jolie stèle dressée dans ce coin du jardin. C'était en fait la réplique de celle qu'elle avait découverte en Arabie au début de sa carrière. Magnifiquement sculptée, elle était gravée d'inscriptions en araméen.

— Ne me dis pas, dit-elle, qu'un tas de ferraille a le pouvoir de te dicter ton humeur ?

— C'est surtout que je vais devoir rappeler le garagiste, lui dire que sa réparation n'a pas tenu, je vais devoir râler, négocier, peut-être menacer... J'en ai marre de lutter pour tout.

Margie se mit à rire.

— Je ne vois vraiment pas ce qu'il y a de drôle.

— Oh si, mon pauvre ami !

— Quoi ?

— Tu me rappelles trop mon premier mari ! Lui aussi voyait la vie comme un combat permanent, une résistance de chaque instant. Mon éternelle bonne humeur le rendait fou. Il me voyait chanceuse, épargnée par le sort, alors que lui devait se battre au quotidien contre les tuiles qui lui tombaient dessus. Ce n'est qu'à la fin de sa vie qu'il réalisa que la plupart de ses ennuis étaient la conséquence de sa vision du monde, pas la cause...

Elle s'éloigna et entra dans la maison, laissant Jonathan perplexe face à ses propos qui lui semblaient peu rationnels.

— En attendant, cria-t-elle depuis la cuisine, prends ma vieille guimbarde, ça lui fera du bien de rouler un peu plus. Je ne la sors qu'une fois par semaine pour les courses, elle doit s'ennuyer à mourir.

— Ton assurance le permet ?

— Déstresse.

La porte du garage s'ouvrit en grinçant affreusement, laissant s'échapper une légère odeur de moisi. Le vieux cabriolet Triumph devait dater des années 1970. Rouge sombre avec une capote noire un peu délavée.

Il toussota puis démarra sans trop de difficulté, dans un vrombissement un peu sourd. Jonathan ouvrit la capote et mit ses lunettes de soleil.

Quelques instants plus tard, il parcourait les petites routes désertes de Big Sur au milieu des montagnes verdoyantes dont le relief découpé s'abîmait dans la mer. L'air de la côte sentait bon et le soleil semblait éternel. Il avait réussi à s'extraire de son quotidien stressant, et avait soudain envie de jouir de chaque seconde de son temps. S'il était vraiment écrit qu'il mourrait jeune, alors il devait profiter pleinement de chaque instant, et non subir le quotidien en se lamentant sur son sort. Et si jamais la vie consistait seulement à profiter des plaisirs qu'elle peut offrir, il avait assurément choisi le bon lieu pour goûter des saveurs de ce monde. Il se donna un seul mot d'ordre : savourer chaque seconde sans jamais penser à la mort.

Au bout d'une semaine, il connaissait la plupart des petites tables sympas de la côte, il avait plongé dans l'eau fraîche de criques oubliées, somnolé sur le sable en contemplant les étoiles, dégusté avec Margie les pâtisseries dont elle gardait jalousement le secret, marché au bord de l'eau en écoutant le cri des mouettes, dansé sur la terrasse d'un night-club à ciel ouvert, goûté à la volupté d'un flirt sans lendemain, et assisté chaque soir au coucher du soleil, un verre de chardonay à la main.

Il restait quand même connecté, bien sûr. E-mails et lecture des news sur les sites de presse en ligne faisaient trop partie de son mode de vie pour qu'il puisse envisager de s'en passer. Il se permettait de répondre à quelques questions de clients et renvoyait les autres vers l'assistante. Et il se tenait informé de tous les faits de l'actualité, au jour le jour.

Le repos lui faisait du bien, parenthèse ouverte sur la douceur d'une existence sans souci, et il se laissait glisser sans retenue dans le farniente.

Et pourtant, après quelque temps de cette vie légère, il commença à en ressentir au fond de lui, insidieusement, la vacuité. Son oisiveté était certes agréable mais, en fin de compte, pas vraiment satisfaisante, pas épanouissante. Les plaisirs succédaient aux plaisirs, mais leur intensité se dégradait progressivement, le poussant à la quête de nouvelles réjouissances. Il commençait à comprendre pourquoi la vie douce de certains enfants riches débouchait si facilement sur la consommation de drogues dures.

Il avait un autre problème : le temps. Le temps s'accélérait de jour en jour. Ses journées, pourtant peu actives, lui semblaient défiler en un clin d'œil. Il commençait à sentir que ce séjour allait passer rapidement, ainsi que le reste de sa vie.

Il voulait trouver le moyen de retenir le temps. Quand il était gamin, un simple après-midi lui semblait long, très long. Mais adulte, la vie filait à toute allure ; chaque année semblait plus courte que la précédente. D'ailleurs, un ami physicien le lui avait dit : en termes de perception, on atteint la moitié de sa vie à l'âge de seize ans.

# 8

Rien à se mettre sous la dent. Que des banalités, même pas drôles.

L'opercule de la canette en aluminium se déchira bruyamment, puis tinta d'un coup sec lorsque Ryan l'arracha complètement. Le Coca coula dans le verre, l'envahissant d'une mousse expansive et pétillante. Ryan le porta à ses lèvres sans attendre. Odeur familière. Les petites bulles éclataient en projetant d'infimes gouttelettes qui picotaient sa peau. Il but trois gorgées puis reposa le verre. D'un mouvement de bras, il s'essuya la bouche sur la manche de son tee-shirt noir.

Deux jours qu'il n'avait rien publié sur le blog. Il se sentait l'âme d'un tigre affamé.

Il traversa le salon, entra dans la chambre et regarda pensivement par la fenêtre. La vue plongeante sur l'enfilade de jardins des maisons de la rue et de ceux de l'avenue parallèle apportait rarement quelque chose.

Le seul être humain en vue était ce bougre de Gary qui, comme chaque matin, lisait son courrier assis dans un fauteuil de jardin en plastique blanc, sur l'herbe. Vision ennuyeuse à mourir. Le marchand de muffins haussait les épaules à la lecture de chacune de ses lettres. Soporifique au possible.

Rien dans les autres jardins. Rien dans les maisons les plus proches, dont il pouvait pénétrer un fragment de l'intimité à travers les vitres, de biais.

Dépité, Ryan retourna dans le salon, puis s'arrêta net, une idée en tête. La bêtise n'était pas que dans les paroles ou les actes. On pouvait aussi la trouver dans les attitudes. L'humour viendrait alors de la répétition. Oui, c'est ça : cet ours de Gary, dans sa tristesse idiote, était drôle, en fin de compte. À condition d'en faire un feuilleton… Si, chaque jour, on faisait en sorte que les internautes attendent le haussement d'épaules de Gary devant son courrier, ça pouvait devenir carrément poilant.

Ryan retourna dans la chambre et braqua la caméra sur le bonhomme. Zoom. À quatre-vingt-douze mètres, le micro parabole capta tout de suite le bruissement de l'enveloppe qu'on déchire. Merveille technologique. En plan rapproché, Gary fronça les sourcils en sortant la lettre. Il la lut puis, inévitablement, haussa les épaules. Ryan éclata de rire. Mais bien sûr ! Gary était un personnage ! Un vrai ! À lui de le mettre en scène…

Évidemment, il prenait plus de risques qu'en filmant un groupe dans un lieu public. Mais bon, la probabilité qu'un internaute de Minneapolis connaisse un loser de San Francisco était proche de zéro. Et puis Ryan avait pris ses précautions. Le blog était hébergé sur un serveur délocalisé. Pour parvenir jusqu'à lui, il faudrait identifier et contourner plusieurs serveurs écrans. Pour une broutille de ce genre, personne ne s'en donnerait la peine.

Quinze minutes plus tard, Ryan cliqua sur « Enter », et l'image de Gary apparut sur le blog, tandis qu'il tapait le titre au clavier : « La vie des nazes – épisode 1 ». Ryan en était sûr : c'était le premier d'une longue série.

## 9

— Et si tu marchais ?

La suggestion de Margie prit Jonathan au dépourvu.

— Marcher ?

— Oui, il y a des sentiers partout ici. On n'y voit plus personne, et pourtant c'est très beau, tu sais.

C'était très beau, en effet, et il fut surpris de redécouvrir avec un regard neuf les lieux qu'il traversait depuis huit jours à bord de la Triumph. Avec la vitesse, on perd en émotion ce que l'on gagne en sensation.

La nature était somptueuse, riche et odorante. Certains versants étaient couverts de buissons d'un vert intense, d'arbustes et de broussailles laissant parfois apparaître des orchidées sauvages. D'autres étaient peuplés de conifères à l'ombre réconfortante. En se rapprochant de l'océan, on voyait des séquoias aux troncs rouges sculptés par les ans.

Ses marches étaient ponctuées des piaillements de toutes sortes d'oiseaux, et un après-midi il vit même un condor planer majestueusement dans le ciel.

Les monts se succédaient, les descentes faciles débouchant sur des montées ardues et essoufflantes, dans un perpétuel recommencement. Mais sitôt une colline gravie, on jouissait d'une vue différente, et parfois la mer apparaissait dans l'ouverture d'un col. Le paysage se renouvelait et, à chaque instant, l'émerveillement de Jonathan était intact. Le même panorama était bien plus grandiose après le coûteux effort d'une ascension que lors d'une simple halte en voiture. Était-ce la fierté de l'exploit accompli ? Ou la nature réservait-elle sa beauté à ceux qui en avaient payé le prix ?

Au-delà de cette plénitude, Jonathan vécut un petit choc : le jour où il découvrit pendant ses longues marches que son portable… ne captait plus ! Au début, ce léger sentiment d'un lien qui se brise, d'une liaison interrompue le contrariait et même le préoccupait, si bien qu'à chaque sommet gravi, il sortait son portable et le tendait désespérément vers les cieux, comme pour recevoir les messages de l'univers. Moïse levant son bâton. En vain.

Au début, il en ressentit l'impression d'être isolé, coupé du monde, jusqu'à ce qu'il réalise qu'il n'avait jamais été autant connecté. Non plus aux médias qui sélectionnaient pour lui les mauvaises nouvelles à la surface du globe, non plus aux e-mails ou messages de connaissances qui se rappelaient à lui à toute heure du jour et de la nuit, chacun se prouvant qu'il existait toujours aux yeux de l'autre. Non, ce qu'il ressentait était d'un tout autre ordre, et c'était pour lui totalement nouveau : il se sentait connecté à lui-même, à son corps, à ses sentiments, à son intériorité, mais aussi, étonnamment, connecté à la Terre, à la vie animale et végétale.

Chaque heure de marche avivait en lui cette flamme, cette richesse méconnue ou endormie depuis si longtemps qu'il en avait oublié l'existence.

De jour en jour, son euphorie allait croissant. La rancœur et la déprime qui l'avaient un temps habité disparaissaient totalement. Progressivement, la marche l'emplissait d'un sentiment de gratitude tout à fait nouveau pour lui. Gratitude envers la beauté du monde, envers la vie qui lui offrait enfin une joie et une quiétude jusque-là insoupçonnées. Lui qui avait l'habitude de râler contre tous les problèmes de son existence avait maintenant envie de dire merci, sans savoir à qui destiner ses remerciements. Un merci envoyé dans l'univers comme certains lancent des bouteilles à la mer. Merci d'être vivant, merci de respirer, merci de voir, de sentir, d'entendre. Les prédictions de mort des bohémiennes ne comptaient plus. Il était en vie, à cet instant, et cela seul comptait.

Tatie Margie avait son idée sur la question, qu'elle partagea un soir dans son jardin. Ils étaient installés dans de jolis fauteuils en rotin avec des coussins moelleux. Elle avait comme souvent préparé une théière fumante dans laquelle elle avait versé une cuillerée de miel et... une larme de vodka.

— La nature nous rend ce que la société nous a confisqué.

— Quoi ?

— Notre complétude.

— Euh... tu peux préciser, s'il te plaît ?

— Nous sommes des êtres complets et la nature nous amène à le ressentir profondément, alors que la société crée en nous le manque. Elle sait nous faire croire et nous faire ressentir qu'il nous *manque* quelque chose pour être heureux. Elle nous interdit d'être satisfaits de ce que nous avons, de ce que nous sommes. Elle ne cesse de nous faire croire que nous sommes incomplets.

Ces propos avaient un écho particulier en lui. Cet état de complétude qu'elle évoquait correspondait bien à ce qu'il avait ressenti dans la nature, en effet. Un état si loin de ce goût finalement insipide et décevant que lui avait laissé sa première semaine consumée en plaisirs de toutes sortes, comme il l'expliqua à Margie.

— Ça, c'est encore autre chose ! s'exclama-t-elle, un sourire narquois aux lèvres. Tu t'es abandonné au péché, cette semaine-là !

— T'es un peu gonflée de me reprocher ça, une bouteille de vodka sur la table. Toi qui as eu trois maris…

Elle éclata de rire.

— Mon cher neveu, je n'ai jamais dit que pécher était mal !

— Je ne te suis plus, alors…

— Si tu connaissais l'araméen, tu comprendrais…

— Trop bête : au lycée, j'ai pris français et espagnol.

Elle sourit et leur resservit une tasse de thé.

— Nos ecclésiastiques ont longtemps cherché à nous culpabiliser, en effet, comme si pécher était toujours commettre une terrible faute morale… Tout ça à cause d'une simple erreur de traduction…

— Une erreur de traduction ?

— Oui, le mot d'origine, utilisé par Jésus, que l'on a traduit par « péché » était *khtahayn*. Il signifie plutôt « erreur », dans le sens où ce que l'on fait ne correspond pas à l'objectif. De même, quand Jésus parlait de ce qui est mal, il utilisait le mot *bisha*, qui veut plutôt dire « inadéquat ». Bref, commettre des péchés n'est pas vraiment faire le mal, mais plutôt se tromper et s'éloigner de l'objectif.

— L'objectif ? Mais… quel objectif ?

— Ah… toute la question est là…, dit-elle en versant du thé dans leurs tasses. Les chrétiens, juifs et musulmans te répondront sans doute « Trouver Dieu », les bouddhistes « Trouver l'éveil », les hindouistes « Atteindre la délivrance », et d'autres te diront « Trouver le bonheur »… Mais dans le fond, c'est sans doute un peu la même chose. Comme il est écrit dans les Veda en Inde : « La vérité est une ; nombreux sont les noms que lui donnent les sages. »

— Trouver le bonheur, répéta pensivement Jonathan.

Il prit une gorgée de thé. Sa chaleur était suave et parfumée. La lumière déclinait lentement autour d'eux. Au loin, la surface de l'océan reflétait les dernières lueurs du jour qui se peignaient sur le ciel dans des tons roses et orangés. Le jardin, baigné dans un calme remarquable, respirait la sérénité. Même les oiseaux semblaient savourer en silence la beauté du moment.

— Donc, ce que tu dis, c'est que ma semaine de farniente ne m'emmenait pas dans la bonne direction pour y parvenir, c'est ça ?

— Oui. Tu l'as senti toi-même. Tout le monde peut le sentir, d'ailleurs : on est attirés par des plaisirs facilement accessibles et, sitôt consommés, que ce soient des plaisirs gustatifs, charnels, ou même tout simplement une soirée à zapper d'une chaîne à l'autre à la télé, on est après coup un peu déçus, n'est-ce pas ? On se sent même bizarrement frustrés que ce plaisir ne nous ait pas vraiment nourris. Tout le monde a déjà ressenti ça. Spinoza le décrivait très bien au XVIIe siècle.

— Si Spinoza le décrivait…

— Et une fois de plus il n'y a aucun mal à ça, c'est juste que ça ne t'apportera pas ce que tu cherches, et que l'on cherche tous plus ou moins consciemment.

Jonathan demeura pensif quelques instants.

— Et… comment t'expliques ça ? finit-il par lâcher.

Margie prit son inspiration.

— Lors de ta semaine de plaisirs, tu cherchais à l'extérieur de toi ce qui pouvait, en quelque sorte, t'apporter du bonheur, n'est-ce pas ? Dans les restaurants, les boîtes de nuit, les magasins ou je ne sais où.

— Oui.

— Eh bien, tu ne trouveras jamais le bonheur à l'extérieur, vois-tu. Tu peux passer ta vie entière à courir après des tas de choses : si tu cherches au mauvais endroit, tu ne trouveras rien. C'est comme chercher la tombe de Nefertiti en Amérique.

— Hum…

— Et plus tu vas obtenir de plaisirs en provenance de l'extérieur, plus tu vas conditionner ton cerveau à se tourner vers l'extérieur pour y chercher des sources de satisfaction. En toutes circonstances, notre cerveau nous amène en effet à faire ce qu'il croit être le mieux pour nous. Le problème, c'est qu'il prend ses décisions en fonction de notre vécu. Si tu offres à ton cerveau des sources de contentement surtout externes, il te poussera de plus en plus à l'extérieur de toi-même.

Jonathan acquiesça.

— C'est sans doute pour ça que les religions ont longtemps incité leurs adeptes à s'éloigner de la recherche de plaisirs.

— Oui, même si cela a parfois eu comme résultat de nous culpabiliser. Ça ne mène pas non plus au bonheur... Autant savourer les plaisirs qu'on s'octroie ! Si l'on cède à la tentation, mieux vaut s'en délecter !

Jonathan sourit, pensivement.

— Le problème, c'est que ces plaisirs en question m'attirent, vois-tu. Si je veux être vraiment honnête avec moi-même, je dirais que c'est aussi pour ça que je bosse. Pour me payer ce qui me tente. Assouvir une partie de mes désirs.

— Oui, je me doute bien. Comme la plupart d'entre nous. Et comme cela ne nous satisfait pas complètement, sitôt un désir assouvi, on va même se mettre à désirer quelque chose de nouveau, qu'on n'avait pas en tête auparavant. Et au final, c'est un peu une course sans fin après l'assouvissement de désirs qui se succèdent.

— Peut-être.

Margie but un peu de thé.

— Les bouddhistes ont très bien compris ce phénomène. Ils considèrent que nos désirs sont l'une des causes de nos souffrances. C'est pour ça qu'ils invitent à se libérer de ses désirs.

— Se libérer de ses désirs...

— Tout à fait.

— Mouais. Je comprends la théorie, mais, en pratique, je ne suis pas sûr d'adhérer à cette idée.

— Pourquoi ?

— J'ai un peu l'impression que ce sont mes désirs qui me font vivre.

— Qui te font vivre ?

— Bien sûr. Si je n'ai plus de désirs, je ne sais pas ce qui va me faire avancer dans la vie. C'est plutôt un moteur, non ? C'est bien parce que je désire des choses que ça me donne de l'énergie pour me battre. Si je parvenais à me libérer de mes désirs, comme tu dis, eh bien, il y aurait… comme un grand vide. Tu vois, je m'imagine comme ça, zen, sans rien faire parce que je n'ai plus envie de rien, et je trouve ça… un peu tristounet, non ? Un peu déprimant.

Margie sourit.

— Ah, mon chéri, tu dis ça parce que notre société ne t'a amené à ressentir que les plaisirs fugaces issus de la satisfaction de tes désirs ; elle ne t'a pas donné l'opportunité de ressentir la vraie joie, celle qui vient de l'intérieur.

— Peut-être..

— Quand tes parents voulaient te faire plaisir, qu'est-ce qu'ils faisaient pour toi ?

— Ben… je sais pas, ils m'offraient un cadeau…

— Quel cadeau ?

— Comment ça ?

— Comment ils choisissaient ce cadeau ?

— Je sais pas… je présume qu'ils essayaient de savoir de quel jouet j'avais envie.

Margie hocha la tête d'un air entendu.

— Oui. Quel jouet tu désirais… Et pour ton anniversaire, qu'est-ce qu'ils faisaient pour toi ?

— Un cadeau, bien sûr.

— Pour Noël ?

— Oui, des cadeaux.

Margie se pencha en avant et resservit du thé.

— Le problème, vois-tu, c'est que tes parents voulaient sincèrement te faire plaisir, et tu devais le ressentir, je présume. Ils voulaient sans doute ton bonheur.

— Bien sûr.

74

— Ils ne réalisaient pas qu'en fait, ils étaient en train de t'enseigner qu'on devient heureux en recevant quelque chose de l'extérieur pour satisfaire ses désirs.

— Je vois...

— Sauf que c'est complètement faux. Plus tu te tourneras vers l'extérieur pour chercher des satisfactions, plus tu ressentiras le manque. Plus tu courras après tes désirs, moins tu seras satisfait.

Jonathan acquiesça lentement.

— C'est devenu culturel, tu vois, reprit Margie. C'est en nous, maintenant. On nous a conditionnés à ça. Et après, on en arrive à ce que tu décrivais il y a deux minutes : la satisfaction de tes désirs est ce qui te fait avancer dans la vie, disais-tu. Tu réalises ? Tu vois à quel point on est conditionnés ? Et après on se tue au travail pour ça, sans réaliser qu'on n'a pas besoin de tout ce après quoi on court...

Jonathan regarda pensivement au loin. Un voilier glissait lentement sur la surface de l'océan.

— Bon, c'est très bien tout ça, mais comment je fais pour lutter contre mes désirs, moi ? Parce que je n'y peux rien s'ils sont là...

— Il ne faut surtout pas lutter contre ses désirs !

— Je ne te suis plus du tout, là.

— Si tu luttes contre tes désirs, ça signifie qu'une partie de toi a envie de quelque chose, et une autre partie de toi lutte contre cette envie.

— Exactement.

— C'est une sorte de guerre intérieure entre toi et... toi.

— Tu peux dire ça comme ça.

— Eh bien, ça ne risque pas de marcher ! C'est d'ailleurs pour ça que la plupart du temps, quand on fait un régime, on échoue. Tu comprends, quand on fait la guerre contre soi-même, une chose est sûre : l'un de nous va perdre !

Jonathan la regarda, interloqué.

— Alors quelle est la solution ?

Margie secoua la tête.

— En fait, je ne crois pas que l'on puisse *retirer* des choses en nous, que ce soient des désirs ou quoi que ce soit d'autre. Si t'as régulièrement de violentes envies de gâteaux ou de chips, accroche-toi pour retirer ça. Bon courage.

— Je ne te le fais pas dire.

— On ne peut rien *retirer* en nous. On ne peut qu'*ajouter*.

— Ajouter ?

— Oui, ajouter en nous des choses qui sont plus fortes que nos désirs, des choses qui vont transcender nos désirs et nous nourrir, nous illuminer au point de nous les faire oublier. Juste oublier. Alors nos désirs s'évaporent d'eux-mêmes. Ils se dissolvent.

— Et... c'est quoi, ces choses ?

— Celles qui nous permettent d'exprimer qui on est véritablement, et ce pour quoi on est fait. Ces choses qui nous apportent un contentement, une joie qui vient du plus profond de nous-même.

Jonathan la regarda quelques instants sans rien dire.

— Et... comment je trouve ça, moi ?

Margie se pencha vers lui et lui souffla, sur le ton de la confidence :

— Cherche à l'intérieur.

Jonathan ne la quitta pas des yeux, tandis que les mots chuchotés résonnaient au plus profond de lui-même.

Il inspira profondément. Le temps semblait suspendu et, dans le jardin silencieux, les plantes retenaient leur souffle.

— Et pour ça, dit-elle, il faut s'accorder de l'espace et du temps rien que pour soi. Laisser émerger des choses… Apprendre à décoder les messages de ton cœur, de ton corps…

Les paroles de Margie semblèrent flotter dans les airs, dans la douceur du soir, sous les étoiles scintillantes. Elle souriait, son beau regard lumineux semblant émerger de toutes les belles rides d'un visage sculpté par les années d'une vie riche et foisonnante d'expériences.

— Je ne suis pas sûr de recevoir de tels messages, comme tu dis, pourtant je n'ai pas non plus l'impression de les refouler…

— Sans s'en rendre compte, on le fait tous plus ou moins, à notre époque.

Jonathan n'était pas très convaincu.

— Ça t'arrive d'être fatigué ? demanda Margie.

— Comme tout le monde.

— Quand on est fatigué, c'est que notre corps nous réclame du repos, et notre cerveau, du sommeil. Et nous, qu'est-ce qu'on leur donne ? Un café !

Jonathan acquiesça lentement, en pensant à tout ce qu'il ingurgitait pour carburer au travail…

— Est-ce qu'il t'arrive d'avoir un coup de blues, de temps en temps ? demanda Margie.

Jonathan soupira.

— Eh bien, oui, ça m'arrive, bien sûr.

— Et que fais-tu dans ce cas-là ?

— Qu'est-ce que je fais ? Ben... je sais pas... Pourquoi ?

— Repense à la dernière fois que ça t'est arrivé.

— La dernière fois... OK, c'était...

— Ça ne me regarde pas. Dis-moi juste ce que t'as fait, quand t'as ressenti cette déprime ?

— Très simple : j'ai pris quatre carrés de chocolat ! Euh... non... huit.

— Et ça allait mieux, ensuite ?

— Pas vraiment, mais au moins ça m'a donné un peu de plaisir sur le moment. C'est déjà ça.

— Alors qu'est-ce que t'as fait, ensuite ?

— Je crois que j'ai allumé la télé.

— Tu vois : c'est encore le même schéma. On cherche à l'extérieur des solutions à nos problèmes intérieurs : le chocolat, un plaisir qui vient de l'extérieur de toi, et la télé, un flot d'informations et d'émotions qui lui aussi vient du dehors.

— Et c'est grave, docteur ?

Margie gloussa.

— Comme disait Paul Watzlawick, qui vivait pas loin d'ici : c'est désespéré, mais c'est pas grave !

— Tu me rassures, là...

— Bon, ça vaut sans doute mieux que de prendre des cachets, même si c'est encore le même schéma ! D'ailleurs, quand t'es malade, je suis sûre que ton premier réflexe, c'est...

Jonathan répondit sur un ton faussement abattu :

— Prendre un médicament.

Margie rit et resservit du thé.

— Crois-moi : c'est à l'intérieur que se trouve la solution à la plupart de nos problèmes.

— Je vois.

— C'est l'une des grandes illusions de notre époque. On écoute de moins en moins notre for intérieur. D'ailleurs, on en arrive même parfois à ne plus vraiment savoir ce que l'on veut faire de notre vie. Et en plus, au quotidien, on a tendance à se perdre en voulant correspondre à des normes qui ne sont pas les nôtres, des normes imposées par la société.

— Des normes ?

— Oui, des normes ou des codes, appelle ça comme tu veux. Des codes de comportement, d'opinion, et surtout de goût. J'ai parfois l'impression qu'on aime, non pas ce que nous susurre notre cœur, mais ce que l'on nous pousse à aimer. Est-ce vraiment nous qui choisissons nos vêtements, nos téléphones, nos boissons, ou les films qu'on regarde ?

— Oui, mais tu sais, c'est un peu inévitable, de nos jours. On est interconnectés, alors on s'influence tous les uns les autres. Il n'y a pas de mal à ça.

— Non, bien sûr, il n'y a pas de mal. Mais dans ce contexte d'interconnexion, il faut quand même rester suffisamment connecté à soi-même pour bien vivre sa vie, pas celle des autres.

Jonathan repensa à ses longues marches, seul dans la nature de Big Sur, et à ce sentiment très fort, jamais ressenti jusque-là, d'être vraiment lui-même.

— Pour bien vivre sa vie, reprit Margie, il est nécessaire d'être à l'écoute de ce qui vient du plus profond de nous-même. Entendre les messages chuchotés par notre âme. Mais notre âme est comme un ange qui murmure d'une voix si douce, si faible, qu'il faut tendre l'oreille. Comment veux-tu la percevoir dans le brouhaha incessant ? Comment veux-tu y prêter attention quand ton esprit est en permanence accaparé par des milliers de choses en dehors de toi-même ?

— Peut-être pas des milliers...

— Pense à toutes ces informations auxquelles on est soumis en permanence, tous ces stimuli.

— Laisse-moi deviner : tu vas dénoncer la télé, l'Internet, les réseaux sociaux, les jeux vidéo, les flots d'e-mails sur le portable, les SMS...

— Je ne dénonce rien, tout ça est très utile, si on est assez vigilant pour ne pas se laisser prendre au piège. Car sais-tu pourquoi on en devient dépendant ?

— Non.

— Parce qu'ils induisent en nous des émotions. Et vois-tu, lorsqu'on ressent des émotions, on se sent vivre. Alors on en veut, encore et encore. C'est pour ça qu'on reste connectés à tous ces réseaux sociaux. Dès qu'un message nous concerne, on ressent une émotion. Une information nous alerte ? Une émotion. Quelqu'un pense à moi ? Une émotion. Une tempête a frappé dans un pays ? Une émotion. Une fois de plus, il n'y a aucun mal à ça, mais à force d'être absorbé par ce qui vient de l'extérieur, on perd le contact avec nous-même. Plus nos émotions sont induites par l'extérieur, moins on sait les faire émerger de l'intérieur par nos propres pensées, nos actions, nos ressentis. C'est un peu comme si on vivait dans un wagonnet de montagnes russes, ballottés à longueur de journée dans un train dont on ne connaît pas le conducteur et dont on ignore où il nous emmène.

Jonathan acquiesça lentement, pensif.

— Tu sais, reprit Margie, une graine a du mal à germer dans une terre étouffée par une végétation envahissante. Il faut un peu d'espace pour que la lumière vienne à nous.

Jonathan laissa son regard voguer autour de lui. La lune s'élevait au-dessus de l'océan, plongeant le jardin dans un clair-obscur saisissant. Une carte postale en noir et blanc.

Margie reprit :

— Si on ne prend pas le temps d'écouter notre âme, de recueillir ce qui vient du plus profond de nous-même, alors on risque de ne pas vraiment se connaître. Et quand on ne se connaît pas...

Elle s'interrompit pour croquer tranquillement dans un biscuit au gingembre.

— Quoi ?

— Quand on ne se connaît pas, on laisse nos illusions diriger notre vie.

Jonathan leva les yeux vers elle.

— Nos illusions ?

— Oui, on a tous des illusions sur la vie, qui nous poussent dans telle ou telle direction. Au fond de nous, notre conscience sait qu'il ne s'agit pas de la réalité et qu'on fait fausse route. Mais si on n'écoute pas notre cœur, on laisse ces illusions nous mener en bateau et nous priver d'une vraie liberté. On peut devenir esclave de nos illusions...

— C'est pas très clair pour moi.

Margie but quelques gorgées de thé.

— Il faudrait que j'illustre mes propos... Tiens, prenons mes maris, par exemple.

— C'est vrai que t'en as eu quelques-uns...

— Quand on aime, on ne compte pas ! Mon premier mari était un homme charismatique qui aimait le pouvoir. Son illusion était de croire que les gens n'étaient pas dignes de confiance et qu'il lui était nécessaire de tout diriger et tout vérifier. En toutes circonstances, son obsession était de contrôler la situation et surtout... les gens autour de lui ! Mais la vie se charge de transformer nos angoisses fantasmatiques en réalité. Les peureux se font tourmenter, les gens qui craignent de ne pas être à la hauteur échouent, ceux qui ont peur d'être rejetés finissent par l'être. Et quand, par manque de confiance, on veut tout contrôler, eh bien, on ne contrôle rien : contrôle ta femme, elle te trompera. Contrôle tes enfants, ils se rebelleront. Contrôle ton peuple, il fera la révolution.

— C'est pour ça que tu l'as quitté ?

— Il voulait me faire renoncer aux missions d'exploration en Égypte. Comme si j'allais tomber amoureuse d'une momie...

Elle trempa un biscuit dans son thé et le savoura.

— Et ton deuxième mari ?

— Lui, c'était très différent. Son illusion était de se croire plus intelligent que tout le monde. Ça lui donnait une attitude un peu condescendante à l'égard des autres. Il les écoutait en se tenant un peu en retrait, comme s'il jugeait en permanence les âneries qu'ils racontaient. Je ne parle même pas de son mépris pour les réactions émotionnelles... Il lui arrivait de glisser froidement quelques mots destinés à montrer à son interlocuteur le manque de rationalité de ses propos. Inutile de dire que nous avons perdu beaucoup de nos amis...

— Mais pourquoi dis-tu que son intelligence était une illusion ?

— C'est la croyance en la supériorité de son intelligence qui en était une. Ce n'est pas parce qu'on est scotché dans le mental qu'on est plus intelligent.

82

— Scotché dans le mental ?

— Oui, je ne vais pas te faire un cours de biologie, mais pour faire simple, on a trois cerveaux...

— Angela doutait que j'en aie un ; finalement, j'apprends que j'en ai trois.

— En fait, plus précisément, notre cerveau comporte trois couches, et chacune est plus ou moins développée selon chacun d'entre nous : on a un cerveau archaïque hérité de nos ancêtres reptiliens, il y a quatre cents millions d'années, donc bien avant l'homme préhistorique. C'est cette couche du cerveau qui nous donne des réflexes primitifs de lutte pour la survie, de territorialité, d'agressivité. Il y a des gens qui ont le cerveau archaïque plus développé que d'autres, et ceux-là sont doués pour agir et réagir. Ils ont en général le goût du pouvoir, de l'argent, du sexe...

— Nos hommes politiques !

Margie éclata de rire.

— Et les autres couches ? demanda Jonathan.

— Le cerveau limbique, grâce auquel on ressent nos émotions et celles des autres, et qui nous permet de développer notamment nos qualités relationnelles. Il est apparu avec l'arrivée des premiers mammifères qui devaient prendre soin de leurs petits, incapables de survivre sans le dévouement des adultes. Et enfin le néocortex, siège de ce qu'on pourrait appeler le mental : la pensée logique, la capacité de conceptualisation, etc.

— Je vois...

— L'idéal, dans la vie, est de trouver un équilibre entre ces trois cerveaux pour être en fin de compte aussi à l'aise dans l'action, l'émotion que dans la pensée abstraite.

— Donc ton deuxième mari avait le néocortex bien développé...

— On peut le dire. Mais l'intelligence ne se résume donc pas au mental. Elle repose sur un usage équilibré des trois couches de notre cerveau. Et lui avait des difficultés sur le plan émotionnel, en l'occurrence. Il se connaissait peu et comprenait mal les autres. C'était quelqu'un qui n'écoutait jamais son cœur, ses envies, ne comprenait pas ses propres émotions. Les miennes, j'en parle même pas…

— Vous êtes restés en contact après votre divorce ?

— J'ai appris qu'il avait fini avec un Alzheimer. Un comble, pour lui qui se voyait avec la tête bien remplie…

— Le pauvre.

— Il a très vite oublié qu'il en était atteint…

Margie but une gorgée de thé.

— Mon troisième mari était encore très différent. Lui cherchait le bonheur dans son statut. La plus grande des illusions, sans doute… Au début, j'étais admirative du personnage, qui en imposait. Et puis un jour, j'ai réalisé qu'il courait après tout ce qui pouvait dorer son blason et lui donner de l'importance. Depuis les titres jusqu'aux tenues élégantes en passant par la marque de sa voiture, l'allure de notre maison, ou les bons mots qu'il plaçait dans ses conversations. Même ses relations étaient soigneusement choisies pour le valoriser. Rien ne venait de son cœur, tout était dicté par son besoin de reconnaissance. Je crois qu'il finissait par s'impressionner lui-même, sans être heureux pour autant : il en fallait toujours plus, comme s'il n'était jamais à la hauteur de l'image qu'il convoitait. Sans doute avait-il besoin de se rassurer, de compenser un manque d'estime de soi savamment caché… Quand j'ai voulu changer de métier pour devenir biologiste, il a tout fait pour m'en empêcher :

être marié à une archéologue, c'était classe. Biologiste, c'était plus commun.

Jonathan ne put s'empêcher de rire.

— Il est mort écrasé par une voiture, dit Margie d'un ton très détaché.

— Quelle horreur !

— Mais non ! Au contraire !

— Comment peux-tu dire une chose pareille ?

— C'était une Rolls-Royce, au sortir d'une soirée arrosée dans un château. Une mort rêvée, pour lui ! Imagine, s'il avait été renversé par une mobylette en banlieue...

— Margie...

— On a suivi son testament à la lettre : des funérailles grandioses, avec tout le gratin local, un orchestre et des chœurs pour le *Requiem* de Mozart, et une tombe plus monumentale que celle de Ronald Reagan. Ça a impressionné tout le monde. Moi, pas trop. À côté de Toutankhamon, c'était quand même petit joueur, tu comprends...

# 10

L'homme respira profondément, regarda alternative-
ment sa balle de golf puis le parcours, à deux ou trois
reprises. Il eut un bref mouvement d'épaules, une sorte
de haussement suivi d'un léger roulement vers l'arrière.
Michael se retint de rire. Chaque fois que John Dale
s'apprêtait à frapper la balle, il avait le même tic nerveux.
Plus ridicule, tu meurs.

Un bruit mat, et la balle s'envola très haut, décrivant
une grande courbe avant de retomber et de s'immobiliser
rapidement au sol.

— Pas mal du tout, dit Michael avec un sourire flat-
teur. Joli lob.

Les deux hommes se remirent en marche. La brume
matinale s'était effacée devant un soleil radieux qui bai-
gnait le Golden Gate Park Golf Course dans une lumière
vive. Ça sentait bon l'herbe fraîchement coupée. Au loin,
l'océan semblait un peu agité. De l'écume se formait sur
les vagues, au large.

— Alors, vous en êtes où, avec vos associés ?

— Ça avance, répondit Michael. Je suis confiant.

— Vous me dites ça depuis trois mois, mais il ne se passe pas grand-chose...

— Je vous avais prévenu que ce serait long. Cette boîte, c'est un peu leur bébé. On ne se défait pas comme ça du fruit de ses entrailles.

— Avec ce que je mets sur la table, ils pourront en faire tant qu'ils veulent, des bébés.

— Ce n'est plus trop d'actualité...

John Dale s'arrêta et regarda Michael.

— Et si je leur en parlais moi-même ?

— Surtout pas ! Moi, je sais comment les prendre. Je les pratique depuis cinq ans...

— Alors pourquoi c'est si long ? Avec ce que j'offre, on se laisse facilement convaincre, il me semble.

— Quand il y a de l'affect, l'argent ne fait pas tout. Ils ne vendront jamais à quelqu'un d'extérieur. Il faut que ça passe par moi. Je les travaille au corps, mais ça prend du temps. On n'a rien sans rien.

John Dale fit une moue dubitative.

— Faites-moi confiance, ajouta Michael. C'est en bonne voie.

Ils continuèrent de marcher en direction du green. Au loin, sur l'océan, de nombreux voiliers étaient de sortie, malgré la houle, pour profiter du vent. On les devinait malmenés par les vagues.

Michael respira à fond. Il ne pourrait pas faire mijoter John longtemps comme ça, il le savait. À vouloir gagner sur tous les plans, il risquait de tout perdre. Mais bon... il n'allait quand même pas se contenter de la plus-value de revente de ses seules parts, et laisser ses associés toucher autant alors qu'ils n'avaient rien fait, pas même participé à la négo. Tant mieux, d'ailleurs. Ils étaient tellement gagne-petit qu'ils auraient été fichus de vendre à quatre ou cinq cents dollars la part, alors que John était prêt à en donner deux mille.

*

\* \*

« ... dans cette laiterie géante, Dan, on voit des centaines de vaches alignées, côte à côte. Elles ont tellement peu d'espace qu'elles ne peuvent se retourner. On se demande si elles peuvent s'allonger pour dormir. Et ce qui est frappant, voyez-vous, c'est qu'elles portent sur elles les conséquences de leur enfermement. C'est à peine croyable, mais figurez-vous que leurs sabots ont poussé puisqu'elles ne les usent jamais. On dirait des ongles géants qui se retournent et tournoient sur eux-mêmes. C'est assez monstrueux, pour ainsi dire, et voyez-vous, Dan, en les regardant on ne peut s'empêcher de penser qu'une fois leur vie de laitières achevée, elles seront soulagées de partir à l'abattoir pour finir dans nos assiettes. »

« Merci, Tiffany, notre envoyée spéciale dans une ferme près de Denver, Colorado. Environnement, toujours : on retrouve Jeremy Stenson, en direct de Doha au Qatar. Jeremy, les représentants de cent quatre-vingt-dix pays se sont réunis pour débattre du réchauffement climatique. Est-ce qu'une résolution commune a été adoptée, en fin de compte ? »

« Bonjour Dan. Le porte-parole vient de quitter la conférence de presse à l'instant. Les délégués de chaque pays ont acté les comptes rendus des experts, ici à Doha. La quasi-totalité des scientifiques se rejoignent sur des conclusions voisines : dans le meilleur des cas, on table sur un réchauffement de 4 °C au minimum d'ici la fin du siècle. Alors 4 °C, mon cher Dan, cela peut nous sembler peu, à nous citoyens qui aimons la douceur, mais comme l'ont rappelé les scientifiques de la délégation française, on a connu dans le passé une époque où la température du globe était de 4 °C inférieure à la température actuelle. Eh bien, figurez-vous, Dan, qu'il s'agissait de l'ère glaciaire... Oui, vous m'avez bien entendu, 4 °C, c'est en fait énorme à l'échelle de la planète, et ces scientifiques ont prédit qu'à la fin du siècle, ces 4 °C supplémentaires engendreraient une fonte totale des glaciers des Alpes, en Europe, ce qui signifie qu'il n'y aurait plus une seule goutte d'eau dans la vallée du Rhône, une grande vallée française, transformant notamment la Provence en désert. C'est une image qui semble avoir marqué les esprits et pourtant, Dan, le congrès qui s'achève n'a débouché sur aucune décision. Les chefs d'État ont simplement décidé de se réunir à nouveau dans deux ans, à Paris, pour discuter d'éventuelles mesures et... »

Jonathan coupa la radio et se rassit dans son fauteuil de rotin, devant la fenêtre ouverte de sa chambre à l'étage de la maison. Il regarda l'océan et respira profondément. *Cherche à l'intérieur*, avait dit Margie. Il soupira. Pas facile de trouver le bonheur au fond de soi quand le monde tourne de travers. Difficile de faire abstraction de ce qui ne va pas.

Il essaya de chasser de son esprit ces mauvaises nouvelles. Pourquoi la société évoluait-elle si mal ? Il ressentait un mélange de colère et d'impuissance. Il aurait dû écouter l'info jusqu'au bout. Peut-être le journaliste indiquait-il une pétition en ligne à signer, ou un projet de manif. Il ferait des recherches sur Internet.

*Cherche à l'intérieur.* Il ferma les yeux quelques instants, tentant de faire le vide dans son esprit. Quand il les rouvrit. il aperçut la lune, toute pâle dans le ciel bleu du matin. La lune... Angela... leurs longues soirées d'été dans le jardin, avant la naissance de Chloé. Ils passaient des heures à discuter sous les étoiles, à refaire le monde. Angela... Difficile de se l'avouer, mais elle lui manquait. Malgré la rancœur accumulée contre elle, contre cette séparation injuste basée sur des reproches indus. Qu'y pouvait-il, lui, s'il avait reçu une baby-sitter nymphomane ? Mais Angela n'avait rien voulu savoir. Intransigeante, fidèle à elle-même. Comme dans le passé, quand elle lui reprochait de trop travailler, de n'être pas assez présent dans la famille. Je ne compte pas pour toi, osait-elle dire. Sans réaliser qu'il faisait tout ça pour elle. Pour elle et pour Chloé.

Il se leva et chercha dans la poche de sa veste son portefeuille. Des années qu'il n'avait pas revu la photo. Pourtant, il savait qu'elle était là, nichée quelque part. Il finit par la retrouver, ironiquement glissée entre les feuillets de ses papiers d'assurance. Il la prit entre ses doigts et sentit un pincement de cœur. À cette époque-là, il ne prenait d'Angela que des photos en noir et blanc. Plus authentique. Plus touchant. Sur celle-ci, elle portait un soutien-gorge en dentelle blanche, et l'appareil avait figé une expression adorable, un sourire contrarié par une joyeuse colère tandis qu'elle protestait, refusant d'être photographiée en s'habillant. Les sourcils froncés sur ses yeux rieurs, elle était absolument irrésistible.

On frappa soudain à la porte et Tatie Margie entra, un petit plateau entre les mains. Jonathan cacha furtivement la photo dans sa manche.

— Et café à domicile !

— Margie, tu es adorable.

Le plateau comportait une jolie cafetière en porcelaine, deux tasses et un flacon de whisky. Visiblement, elle s'invitait aussi. Elle s'approcha pour poser son chargement sur la petite table près de la fenêtre, mais, d'un geste maladroit, manqua de le renverser. Jonathan tendit vivement le bras pour rétablir son équilibre. La photo glissa de sa manche et tomba par terre. Il la ramassa prestement et s'apprêtait à embrayer sur autre chose quand sa tante prit la parole d'une voix très douce.

— Tu n'as pas encore tourné la page, n'est-ce pas ?

Il ne répondit pas.

Elle versa le café dans les tasses, et en fit glisser une dans la direction de son neveu.

— Tiens, mon chéri.

Jonathan prit la tasse toute fumante. Le café diffusa son parfum réconfortant.

— Et si tu lui confiais ce que tu ressens ? dit-elle d'une voix intime.

Jonathan se tendit légèrement, et resta silencieux quelques instants avant de rompre le silence.

— C'est peine perdue. On a déjà beaucoup discuté. J'ai tout fait pour lui prouver que ses reproches étaient indus. En vain.

— Je ne suggère pas d'expliquer, juste de dire ce que tu ressens.

— C'est pareil, non ?

Elle soupira.

92

— Mon pauvre Jonathan, malgré tes années de vie commune, tu ne connais pas les femmes...

Jonathan la regarda, interdit.

— Une femme n'en a rien à faire de tes explications rationnelles pour expliquer une situation. Expliquer, toujours expliquer... Comme s'il fallait à tout prix avoir raison. Ah... les hommes ne comprennent rien... Ce qu'elle veut, c'est sentir que tu l'aimes, sentir que c'est elle que tu aimes...

— Mais c'est pas logique si...

— On s'en fiche, de la logique, dans le couple ! Il est question de sentiments, ici, pas de mathématiques !

Jonathan resta muet un long moment. Non, il ne se voyait pas parler à Angela et aborder de nouveau le sujet. Elle était tout à fait capable de le rembarrer. Il n'avait pas envie de se ridiculiser. Hors de question. Vite, changeons de sujet.

— J'ai entendu un reportage révoltant à la radio. Sur les élevages en batterie. Un vrai scandale.

— Ah...

Il s'assit et se renversa en arrière dans son fauteuil.

— C'est dur de trouver la paix intérieure quand on vit dans un monde égoïste et violent contre lequel on doit lutter en permanence.

Elle s'assit sur le rebord de la fenêtre, posa les yeux sur son neveu, puis regarda dehors, au loin.

— C'est vrai, finit-elle par dire. Moi aussi, ce genre de nouvelles me rend triste.

La lumière brumeuse du matin enveloppait son visage d'une douceur pâle comme les tons passés de sa robe. Ses jolies rides semblaient répondre à la peinture délicatement craquelée de la fenêtre.

— Et pourtant, reprit-elle, s'indigner contre des choses qu'on ne maîtrise pas, n'est-ce pas une recette de la dépression ?

La remarque toucha Jonathan, comme si un miroir lui présentait une réalité dérangeante.

Il regarda sa tante en silence. C'est vrai qu'il se sentait terriblement impuissant face à ce genre de situation, et cela le minait, au fond de lui.

— Il faut bien que quelqu'un se lève contre les dérives de la société. On ne peut pas rester les bras ballants à déplorer ce qui se passe, et continuer sa petite vie comme si de rien n'était.

Margie posa sur lui un regard plein d'empathie.

— Dans les années 1930, un théologien protestant a popularisé une prière très à propos. Certains disent qu'il s'est inspiré de Marc Aurèle. D'autres affirment qu'elle vient de François d'Assise, mais peu importe.

— Et que dit-elle ?

— « Donnez-moi le courage de changer ce qui peut l'être, d'accepter sereinement les choses que je ne puis changer, et la sagesse de distinguer l'une de l'autre. »

Jonathan la regarda fixement quelques instants.

— Eh bien moi, je ne peux pas rester sans rien faire. Dans la vie, on doit voir les choses évoluer, pas régresser.

— Je comprends, bien sûr, mais que veux-tu faire ? Et d'ailleurs, que fais-tu ?

Jonathan leva les yeux vers elle.

— Je me bats contre tout ça. Je le dénonce tant que je peux. Je lutte…

Il resta silencieux un instant puis se laissa retomber en arrière dans son fauteuil, avant d'ajouter :

— Et parfois, je me demande à quoi ça sert, au fond…

94

— Probablement à rien.

— Merci, tu me remontes le moral.

Margie inspira profondément.

— En luttant, on renforce souvent ce contre quoi on lutte.

Jonathan fronça les sourcils.

— Tu trouveras des contre-exemples, dit-elle, mais c'est néanmoins vrai dans presque tous les domaines.

— Je ne vois vraiment pas pourquoi.

Margie resservit du café. Toujours aussi fumant, toujours aussi parfumé.

— Il y a une raison profonde à cela, mais j'aimerais mieux te la faire découvrir à travers une expérience...

— Une expérience ?

— Il faudrait que j'organise ça à ma fondation.

— Je croyais que t'avais pris ta retraite il y a dix ans.

Elle esquissa un sourire en guise de réponse.

— En attendant, dit-elle, je peux te donner quelques illustrations, si tu veux. Sur le plan relationnel, par exemple. Imagine : quelqu'un exprime une idée qui te semble totalement fausse, voire choquante.

— OK.

— Si tu t'opposes à lui et attaques son idée, qu'est-ce qui va se passer ? Tu vas le vexer, donc tu l'obliges à défendre son point de vue pour éviter de passer pour un idiot. Ça va cristalliser sa position et il ne pourra plus changer d'avis. En luttant contre son idée, tu l'as renforcée...

— Vu comme ça...

— Au XVIIIe siècle, en France, la monarchie de l'Ancien Régime a lutté par la censure contre les philosophes des

Lumières, et cela n'a fait que renforcer le mouvement qui finit par déboucher sur la révolution de 1789.

Jonathan hocha la tête.

— En Russie à l'aube du XX<sup>e</sup> siècle, poursuivit Margie, la police du tsar persécutait tous les contestataires qu'ils soient socialistes ou libéraux. Cela ne fit qu'alimenter l'exaspération qui finit par servir les communistes en 1917.

— Je ne savais pas.

— J'ai un exemple encore plus probant, dit-elle en se levant, mais ne bouge pas, il faut que j'aille chercher les chiffres.

— Laisse, c'est pas la peine...

— Si, si.

Elle quitta la pièce et revint quelques minutes plus tard un papier à la main.

— Tu te rappelles qu'en 2002, l'administration américaine a lancé ce qu'elle a appelé la « guerre contre le terrorisme ». Cette année-là, le U.S. Department of State dénombrait 198 actes terroristes dans le monde, tuant 725 personnes. Après dix ans de lutte sans relâche et à grande échelle, impliquant des moyens considérables, l'administration américaine a révélé les chiffres de l'année 2012 : 6 771 actes terroristes tuant plus de 11 000 personnes.

— Ça calme...

— C'est vrai aussi sur le plan de la santé, tu sais. On en reparlera peut-être un jour. Je ne vais pas te faire un cours de biologie aujourd'hui !

— C'est bien joli, tout ça, mais on ne peut pas non plus tout accepter. Le modèle individualiste et consumériste qui rend tout le monde malheureux est parvenu à s'étendre sur presque toute la planète, même dans des coins du monde de culture très différente. Totalement hégémonique. Ça me révolte.

— C'est justement parce qu'il est hégémonique que ce modèle s'effondrera de lui-même. Là encore, l'Histoire tend à nous le démontrer au fil des siècles. Napoléon a réussi à conquérir la moitié de l'Europe, n'est-ce pas ? Eh bien, quand il a quitté le pouvoir, le territoire français était plus petit qu'à son arrivée... Regarde aussi l'Empire romain, le Saint Empire, l'Empire ottoman, les empires coloniaux, l'Union soviétique... Tous ceux qui ont eu vocation à s'imposer se sont désintégrés.

Jonathan n'était pas totalement convaincu, même si les propos de Margie étaient de nature à le rassurer. Il regarda par la fenêtre de la chambre. La brume commençait à se dissiper, lentement. Il prit la tasse bien chaude entre ses mains et but une gorgée. Une saveur forte et réconfortante. En se diffusant dans son corps, la chaleur dissipait sa colère. La voix douce de Margie le tira de ses pensées.

— Crois-moi, la lutte est vaine et, comme le disait Lao Tseu il y a deux mille cinq cents ans : « Mieux vaut allumer sa petite bougie que maudire les ténèbres. »

— Allumer sa petite bougie, répéta Jonathan sur un ton dubitatif en laissant son regard se perdre par la fenêtre.

La lune avait disparu, effacée par la luminosité d'un ciel délaissé par la brume évanouie.

Margie poursuivit d'un ton très calme, presque innocent :

— Ce que l'on déteste chez les autres est parfois ce que l'on n'accepte pas en soi.

Jonathan accusa le coup. Malgré un abord très bienveillant, Margie ne le ménageait pas. Il était prêt à se remettre en question, mais là, franchement, il ne voyait pas en quoi il était responsable des misères de la société. Bon, certes, il n'était peut-être pas totalement réglo dans l'exercice de son métier, mais qui l'était ? Personne n'est parfait. Lui estimait ne pas avoir grand-chose à se reprocher. Si tout le monde était aussi malhonnête que lui, la Terre serait un paradis.

Margie se pencha vers lui et, les yeux brillants, presque rieurs, glissa sur le ton de la confidence :

— Cherche le divin en toi plutôt que le diable chez les autres.

Jonathan la fixa quelques instants, un peu vexé.

— Le divin en moi ? Je croyais qu'au fond de nous, il y avait le péché...

— Ça, c'est peut-être la pire de toutes les interprétations qu'on ait pu faire. Quand je pense aux ravages que ça a occasionnés dans les esprits... On en subit encore les conséquences aujourd'hui...

— Adam et Ève ont pourtant bien désobéi, dit Jonathan en lui adressant un sourire ironique...

Margie lui rendit son sourire.

— Tu veux mon sentiment ? Si Dieu existe, c'est lui qui a voulu qu'Ève croque la pomme !

— La Bible dit qu'il le lui avait défendu...

— Oui, pour l'inciter à le faire ! En se rebellant, Ève a accompli le premier acte de liberté au monde. C'est pas le péché originel, c'est la liberté originelle !

— T'y vas peut-être un peu fort, là...

Margie prit un air faussement offusqué.

— Comment un croyant peut-il imaginer un seul instant que Dieu n'ait pas été capable de créer un être parfait qui suive en tout point sa volonté ? S'il avait voulu qu'Ève obéisse, elle aurait obéi. Non, crois-moi : Dieu a voulu l'homme libre !

Sur ce, elle saisit la bouteille de whisky et en versa quelques gouttes dans sa tasse de café. Jonathan la regarda. C'était vraiment un sacré personnage. Il lui enviait son optimisme à toute épreuve.

— Bon, alors comme ça, j'ai le divin au fond de moi... Et comment je fais pour... le trouver ?

Elle lui offrit son plus beau sourire.

— Devine.

— Dis-le...

— J'ai déjà répondu à cette question.

— Ah... tu vas me dire encore : « Cherche à l'intérieur », c'est ça ?

— Tu apprends vite.

— Ça ne me dit pas comment faire. Et d'ailleurs, c'est quoi, le divin en moi ?

Margie lui adressa un regard lumineux, plein de bonté.

— Trouver le divin, c'est accéder à un niveau de conscience supérieur.

— Ouh là... C'est pas très concret, t'avoueras.

— Un jour, cela te semblera très clair.

— Humm...

— Et ce jour-là est peut-être plus proche que tu ne le crois.

— Et... ça m'apportera quoi, d'accéder à ce niveau de conscience, comme tu dis ?

— Tu te souviens quand on parlait du péché, hier, on disait que certaines choses, après une brève satisfaction, nous font ressentir un grand vide et, finalement, nous tirent plutôt vers le bas.

— Oui.

— Eh bien, là, c'est un peu l'inverse : quand on a dépassé la simple recherche de plaisirs, quand on a des actes et des paroles soufflés par notre conscience et pas seulement dictés par le désir d'en tirer un avantage personnel, on se sent portés par quelque chose... de plus grand que nous. Cela arrive aussi quand on trouve notre mission, ce dans quoi on se réalise, même si c'est en dehors du travail. On découvre alors que cela surpasse largement tout ce que peut nous apporter l'éphémère satisfaction de nos désirs.

— Notre mission... Tu deviens mystique, là.

Sa tante sourit.

— J'ai tendance à penser que chacun de nous a un destin, en effet, et qu'il est dommage de passer à côté.

Jonathan se mit à rire.

— Tu crois vraiment qu'il y a sept milliards de démiurges sur Terre...

— Je n'ai pas dit qu'il s'agissait forcément d'une mission grandiose. Il peut s'agir de quelque chose de plus humble, mais ce sont parfois les choses d'apparence anodine qui comptent vraiment dans le monde, tu sais. On a tendance à penser que ce sont les grands leaders qui ont forgé le cours de l'Histoire. Ce n'est pas tout à fait vrai, en réalité. Chacun, par ses actes, ses paroles, son état d'esprit et ses émotions, influe sur son entourage, et puis cela se propage comme des ondes à la surface de l'eau. Forcément. Rien n'est neutre, tu sais. Au final, chacun de nous a un impact sur le monde. Et quand on a trouvé sa mission, on a un rôle à jouer, un rôle utile à l'humanité, aux êtres vivants, à l'univers.

— Un rôle à jouer...

— C'est pour ça que chacun de nous a des talents qui lui sont propres, même si, pour la plupart des gens, ces talents restent cachés au fond d'eux, n'attendant qu'à émerger et être cultivés. D'ailleurs, découvrir nos talents est aussi un moyen de comprendre notre mission.

Jonathan fit la moue.

— Chez moi, ils doivent être bien cachés, alors.

Il resservit du café.

— La plupart des gens se sentent obligés de faire ce qu'ils ont toujours fait, même quand ça ne les épanouit pas. Et ils s'interdisent d'écouter leurs envies profondes, persuadés que ça ne les mènerait nulle part. Alors qu'en fait, c'est exactement l'inverse. Nos envies profondes, et non pas nos désirs superficiels induits par la société, sont des pistes à suivre pour avancer sur le chemin de notre mission.

— Des pistes ?

— Oui. C'est notre âme qui nous fait signe à travers ces envies, pour nous attirer sur notre voie. Un appel feutré du destin...

Elle but quelques gorgées, avant de reprendre :

— Notre voie apparaît à nous quand s'évanouissent nos illusions, qui nous trompent sur notre direction, et que notre conscience s'éveille. Et tu sais, ce qui est troublant, dans la vie, c'est que tout ce qui nous arrive, en positif comme en négatif, en joies comme en drames, sert secrètement un seul but : éveiller notre conscience, car c'est seulement là que nous devenons pleinement nous-mêmes.

Jonathan respira profondément. Par la fenêtre entrouverte, l'air du large se faufilait jusqu'à lui, se chargeant au passage du parfum des arbres, des buissons et des fleurs du jardin.

— Ça me semble difficile de découvrir mes envies profondes, comme tu dis… J'ai déjà passé beaucoup de temps, après notre dernière discussion, à réfléchir à ce qui pouvait surpasser mes désirs. Je me suis pas mal creusé la tête. Sans résultat.

Margie lui adressa un sourire bienveillant.

— Écoute ton cœur, pas ta tête.

Jonathan se mit à rire.

— Écoute ton cœur… C'est bizarre d'entendre cette expression populaire dénuée de sens dans la bouche d'une biologiste.

— Je sais, les expressions populaires sont moquées par les intellectuels. Eh bien, ils ont tort ! Le peuple est souvent plus sage que ses élites qui se croient au-dessus de tout le monde.

— Peut-être, mais là, en l'occurrence… écouter son cœur ne veut pas dire grand-chose, tu avoueras.

— Détrompe-toi : c'est le cœur qui décide. Dans notre société, on s'est tellement mis à l'esprit que tout se passe dans la tête qu'on s'est coupés du reste du corps. On ne valorise que le cerveau, tout ça parce qu'on a des neurones dedans. C'est ridicule ! Surtout qu'on a également des neurones dans le cœur, et personne n'en parle. Dans l'intestin aussi, d'ailleurs…

— Tu blagues ?

— Environ quarante mille neurones dans ton cœur, et cinq cents millions dans ton intestin. Et ces deux organes disposent chacun d'un système nerveux indépendant et bien développé.

— Ça alors !

— Les bonnes décisions viennent du cœur, ou des tripes. Pas de la tête. Dans l'Égypte ancienne, on l'avait bien compris, d'ailleurs.

— Ah… derrière la biologiste, l'archéologue n'est jamais loin…

— Avant de momifier un pharaon, les Égyptiens extrayaient de son corps tous les viscères. Mais ils ne gardaient que ceux qui avaient de l'importance, qu'ils conservaient soigneusement dans de somptueux vases destinés à être enterrés avec la momie. C'était le cas du cœur et des intestins, notamment.

Elle marqua une courte pause avant d'ajouter :

— Le cerveau, ils le jetaient à la poubelle.

## 11

Ryan ajusta la mise au point sur la silhouette de Gary. Assis dans son vieux fauteuil en plastique d'un blanc jauni par le soleil, il fronçait les sourcils en décachetant son courrier. Les enfants couraient après un ballon à proximité.

Ryan attendit patiemment. Le haussement d'épaules tardait à venir. Gary eut soudain un léger mouvement de recul, accompagné d'un léger plissement des yeux tandis qu'il fixait sa main. Ryan zooma. Quelques gouttes de sang perlaient au bout du doigt de Gary.

L'idiot. Se couper en ouvrant son courrier.

— Arrêtez vos conneries ! hurla Gary à l'adresse des enfants.

Ryan passa rapidement en champ large. Merde, il avait loupé les gosses qui venaient de lancer le ballon dans les fleurs.

— Vous êtes bêtes ou quoi ? cria Gary rouge de colère. J'arrête pas de vous dire de faire gaffe aux fleurs. Cervelles de poissons rouges !

Les gamins restèrent figés quelques instants, visiblement déstabilisés, puis ils ramassèrent leur balle et rentrèrent dans la maison.

Gary secoua la tête, puis déplia la lettre ouverte, et se mit à sucer son doigt coupé.

Ryan zooma de nouveau.

Gary fronça les sourcils tandis que sa grosse tête dodelinait de gauche à droite pour accompagner sa lecture. Derrière sa caméra, Ryan ne put s'empêcher de sourire.

Et puis, enfin, enfin, le haussement d'épaules tant attendu.

Ryan ricana d'un petit rire cruel. Son post du jour était assuré.

*

\* \*

Les drisses des voiliers cliquetaient joyeusement contre les mats au gré du vent léger qui portait des vagues de senteurs marines et quelques ondes de fraîcheur sous le soleil de l'après-midi.

*Cherche le divin en toi.*

Facile à dire... Depuis deux heures que Jonathan était installé à la terrasse de ce café sur le port de Monterey, il avait beau chercher, se prendre le chou, rien ne venait.

De temps en temps, son esprit voguait sur les passants et les bribes de conversation qui jaillissaient à leur passage. Des gens comme lui, sans doute, avec pourtant une différence de taille : ils semblaient insouciants, tandis que lui ne l'était plus. *Tu finiras pas l'année.* La voix sans cœur de la seconde bohémienne résonnait encore dans son esprit.

Il regarda au large, dans l'espoir de chasser la pointe d'angoisse qui revenait. Il ne voulait pas retomber dans la déprime, dans cet état léthargique d'où l'on ne ressort qu'au prix d'un effort surhumain, comme un insecte prisonnier d'un bocal aux parois tellement lisses que chaque tentative d'évasion se solde par une glissade inexorable vers le fond.

*Cherche à l'intérieur.*

Difficile de regarder à l'intérieur quand on craint d'y rencontrer l'angoisse, justement.

La télé accrochée au mur à l'intérieur du café diffusait des images saisissantes de forêt filmée en hélicoptère. Jonathan percevait à peine le son de la voix du journaliste.

« La forêt amazonienne, disait-il, est détruite au rythme effroyable de mille six cents hectares par jour, soit l'équivalent de quinze cents terrains de football. »

L'image bascula sur celle d'un vieil Indien devant l'entrée du Muséum d'histoire naturelle de San Francisco où, disait la journaliste, avait lieu en ce moment une expo passionnante sur l'Amazonie. Les cheveux longs attachés dans le dos, son visage affichait une certaine sérénité, bien qu'empreint de tristesse. Une sorte de résignation calme.

Jonathan soupira longuement. Comment peut-on être heureux quand le monde va mal ? Comment trouver en soi la force de s'en sortir quand le mal progresse sur Terre ? La lutte est vaine, disait Tatie Margie.

La voix du vieil Indien était calme, posée. Malgré la gravité de ses propos, on ne percevait aucune animosité, aucune haine.

« Quand vous aurez abattu le dernier arbre, disait-il, quand vous aurez pêché le dernier poisson, vous découvrirez que l'argent ne se mange pas. »

## 12

— Veuillez tendre votre doigt.

— Pardon ?

— Votre index, s'il vous plaît.

Jonathan avança la main vers la jeune femme en blouse blanche. Elle glissa délicatement sur son index une sorte de large anneau souple ressemblant au doigt d'un gant matelassé d'aluminium, d'où partait un fil électrique long et fin raccordé à quelques mètres de là à l'ordinateur sur une table. Au mur derrière elle, un écran géant.

— Vous voilà connecté, dit-elle.

Sa voix était douce et souriante, mais on sentait néanmoins une certaine réserve, toute professionnelle.

Elle se glissa derrière le bureau et commença à taper sur le clavier.

Jonathan jeta un coup d'œil aux trois personnes assises à côté de lui sur des chaises disposées en demi-cercle. Une femme de trente ou trente-cinq ans, brune coupée au carré, qui semblait éviter soigneusement de croiser le regard des autres, une autre femme d'une soixantaine d'années, très souriante et le teint vif, les cheveux blonds volumineux au parfum de laque, qui avait chaleureusement salué chacun à son arrivée, et enfin un jeune homme aux allures d'étudiant, pas rasé et les cheveux en bataille, dont les yeux se perdaient régulièrement dans le décolleté de la scientifique. Il faut dire que sa blouse blanche croisée laissait voir la naissance d'une jolie paire de seins.

La pièce, plutôt vaste, aux murs blancs et au décor impersonnel, était malgré tout baignée d'une lumière douce, assez chaude. La fondation de Tatie Margie était nichée dans l'arrière-pays de Monterey. Un bâtiment très sobre, perdu dans une zone peu habitée, au milieu des arbres.

— La courbe que vous voyez à l'écran représente la mesure de la conductivité de votre peau, avec ses fluctuations en temps réel.

La courbe en question n'était pas totalement horizontale, elle oscillait lentement et assez faiblement mais de façon irrégulière. On était loin de la sinusoïde parfaite d'un électrocardiogramme.

— La conductivité évolue en fonction de l'humidité de votre peau, bref, de votre transpiration. C'est votre système nerveux sympathique qui contrôle les glandes de la transpiration, tout comme votre tension artérielle ou encore votre rythme cardiaque.

— OK.

— Votre état interne, vos émotions, votre stress ont un effet sur ces éléments physiologiques qui peuvent donc changer d'un instant à l'autre.

— Je comprends.

La jeune opératrice brancha l'index des autres participants.

110

L'écran géant affichait maintenant quatre courbes de couleurs différentes, qui évoluaient chacune indépendamment des autres. Celle de Jonathan était bleue. Celle de la jeune femme brune, jaune vif, était la plus plate des quatre. La courbe verte du jeune homme oscillait modérément. La courbe rouge de la sexagénaire avait des fluctuations un peu erratiques et nettement plus accentuées que celles des autres qu'elle recoupait régulièrement.

— Comme vous pouvez le constater, dit la scientifique, nous sommes tous différents, nous avons des physiologies différentes, et nous réagissons tous différemment à la même situation.

Elle se recula de quelques pas.

— Je vais maintenant vous faire penser à différentes choses. Pour commencer, rappelez-vous la dernière fois que vous avez eu un grand stress...

La courbe rouge décolla quasi instantanément.

Jonathan ferma les yeux. L'image de la bohémienne apparut. Il regarda l'écran. Sa courbe bleue était montée en flèche. Celle du jeune homme s'était à peine relevée, et la jaune restait toujours aussi plate.

L'opératrice s'approcha des participants et s'adressa à la jeune femme brune.

— Pas de grand stress en mémoire ?

Celle-ci lui répondit par un petit sourire énigmatique, et la courbe jaune resta invariablement plate.

La scientifique fit un pas vers le jeune homme.

— La vie étudiante ne vous a pas procuré de grand émoi, ces derniers temps ? lui dit-elle, un petit sourire amusé aux lèvres.

À cet instant, son stylo tomba à ses pieds. Elle se pencha en avant pour le ramasser, et son mouvement dévoila un peu plus ses seins.

La courbe verte s'envola tandis que le teint du jeune homme s'empourprait. Sensible, la machine. Jonathan réprima un sourire. La chute du stylo était-elle préméditée ?

La femme brune regarda sa montre. Jonathan se demanda combien les cobayes étaient rémunérés pour ce genre d'expérience.

— Nous allons maintenant faire un exercice de décontraction, dit l'opératrice. Installez-vous confortablement.

Les participants réajustèrent leur position.

— Je vous invite à respirer profondément, tranquillement... voilà... puis de plus en plus lentement... oui... comme ça... et à chaque expiration, vous laissez votre corps se détendre un peu plus, de plus en plus...

Jonathan laissa son regard se poser sur l'écran. La plupart des courbes s'infléchissaient lentement, la rouge plus que les autres, la jaune nettement moins. La sienne et celle de l'étudiant se croisèrent, puis se recoupèrent dans l'autre sens.

La voix de la scientifique les guida ainsi dans des états variés, détendus ou crispés, positifs ou stressants, et chaque courbe semblait vivre sa vie sans se préoccuper des autres.

Puis la jeune femme les invita à se regarder dans les yeux, ce qu'ils firent, leur regard passant de l'un à l'autre. Même la jeune femme brune se prêta au jeu, et Jonathan la sentit moins détachée qu'au début.

— Regardez-vous... avec bienveillance, dit l'opératrice de sa voix douce et positive, et essayez de ressentir ce qui vous rassemble les uns et les autres...

L'expérience amena chacun à sourire, un sourire un peu gêné au début, puis un sourire plus naturel ensuite. C'est inhabituel de regarder *vraiment* quelqu'un. La plupart du temps, Jonathan ne regardait pas les gens dans les yeux, ou alors rapidement, et, en fin de compte, il les regardait sans les voir, balayant l'espace du regard en pensant à autre chose ou se focalisant sur sa conversation. Là, il regardait ces personnes dans les yeux sans autre intention que de les voir, elles, et c'était comme s'il découvrait une partie de leur intimité, entrevoyait leur vie, percevait leur identité. Oui, c'est ça, il avait le sentiment troublant de voir qui elles étaient. Ce n'étaient plus des inconnus comme on en croise des dizaines chaque jour, au travail ou en faisant ses courses, sans s'intéresser à eux.

Sur l'écran, les courbes étaient maintenant étonnamment proches les unes des autres, comme si elles convergeaient. À peine croyable. Comment était-ce possible ? Comment un simple contact visuel entre des personnes pouvait-il engendrer un rapprochement des physiologies ? Jonathan n'en revenait pas. À cet instant, sa courbe bleue partit en vrille, révélant sa stupeur. Il sourit et décida de revenir dans le jeu, se concentrant de nouveau sur les personnes autour de lui, partageant avec elles cet instant fusionnel.

Une sorte de communion.

Au bout d'un long moment, il glissa de nouveau un œil vers l'écran. Les courbes avaient fini par se rejoindre, n'en formant plus qu'une seule.

# 13

— Austin Fisher, vous avez remporté haut la main le deuxième tour du tournoi de Flushing Meadow. Quel est votre état d'esprit aujourd'hui, juste avant votre prochaine rencontre ?

Austin sourit. Les journalistes voulaient toujours savoir ce qui se passait en lui, à l'intérieur.

— On n'en est qu'au début, rien n'est joué, il faut rester concentré.

— On le sait, cette surface ne vous favorise pas. Pourtant, si vous remportiez ce tournoi, vous entreriez dans les annales avec le plus grand nombre de victoires en Grand Chelem. Ça vous met la pression ?

— Je garde la tête froide. Un tournoi se gagne match après match.

La journaliste parut déçue par la réponse. Évidemment. Elle voulait qu'il se mette sur le divan et se répande en confidences intimes.

— Comment expliquez-vous ce décalage entre votre réussite éblouissante et votre image de joueur, disons... un peu mal aimé ?

*Mal aimé*. Elle lui faisait payer sa réserve. Il s'attacha à conserver un sourire intact.

— Je ne m'occupe pas de ce genre de choses. Je joue au tennis, et cela m'occupe déjà pas mal...

— Certains vous disent un peu froid, un peu indifférent aux autres. Vous pensez qu'il y a pour vous un axe de progrès dans votre relation avec vos fans ?

Austin s'efforça de conserver son sourire.

*Indifférent...* Si tu savais ce que j'ai enduré, ce que j'endure encore en entendant ces ragots. C'est pas parce qu'on n'exhibe pas ses souffrances qu'on ne ressent rien.

— Je n'écoute pas les rumeurs. Je travaille, je travaille beaucoup, et je me concentre sur mon objectif.

Il jeta un coup d'œil sur sa gauche à Warren, son coach, assis un peu plus loin. Warren ferma les yeux puis les rouvrit, en signe d'assentiment.

Austin regagna le vestiaire, suivi par Warren et deux ou trois photographes.

Chaque fois qu'il recevait ce genre de piques, chaque fois qu'on évoquait le désamour du public, renaissait en lui un sentiment diffus mais très particulier, un sentiment familier, apparu enfant quand il lisait sur le visage de son père un soupçon de mépris. C'était comme si des filaments invisibles le rattachaient à ce passé douloureux qu'il s'efforçait de rejeter, mais qui se réactivait au hasard de remarques perfides. Le passé s'immisçait dans le présent sans avoir été invité.

Il refusa de poser pour les photographes. Les portes du vestiaire se refermèrent sur lui.

Il sentit alors monter en lui cette énergie débordante, cette rage, ce besoin impérieux d'en découdre et de vaincre.

— On commence quand ? demanda-t-il.

— Quatre minutes, répondit Warren.

— Parfait, dit Austin.

Il allait se battre jusqu'au bout, et remporter ce tournoi. Une fois détenteur du record, on le verrait différemment. Forcément.

*

* *

Big Sur.

Les collines verdoyantes. Le chant du vent dans les buissons. Les hauts séquoias aux troncs rouges et aux épines sombres. Le parfum des résineux. De brèves échappées de vue sur l'océan...

Jonathan marchait depuis plus d'une heure. En sortant de l'institut, il avait senti l'appel de la nature. Il ne pouvait pas rentrer à la maison comme si de rien n'était. Il fallait qu'il marche, seul, qu'il rassemble ses esprits.

Quand on marche, le temps passe plus lentement. La culture de l'immédiateté et de l'ultra-réactivité dans laquelle on baigne nous amène à n'être plus présent à rien. En marchant, on se replonge dans le temps de la nature, de l'univers, du cosmos. Le temps de la vie. On se reconnecte à soi-même.

L'air était doux, en cette belle fin d'après-midi, et Jonathan se sentait bien, léger. Il retrouvait ce sentiment de gratitude qui l'avait habité lors de ses précédentes marches. Gratitude envers la vie, la beauté du monde, le parfum du vent, et la lumière si belle quand le soleil s'incline doucement, amorçant sa révérence.

Ses anciennes préoccupations lui semblaient loin, tout comme ses anciens désirs inassouvis, ses impressions de manque, ses frustrations. Seule comptait aujourd'hui la sensation de vivre. Pour combien de temps, il l'ignorait, mais il était encore en vie et en ressentait une gratitude infinie.

Un condor apparut dans le ciel, et Jonathan suivit longuement son vol silencieux, jusqu'à ce qu'il s'évanouisse derrière les collines.

*Tous les hommes sont reliés.*

Cette révélation tournait en boucle dans son esprit. Nous sommes tous différents, avait dit l'opératrice, et pourtant, quelque chose nous relie. Un lien invisible mais bien présent, qui se manifeste seulement quand on le cherche, quand on le sollicite, quand on l'active...

Après l'expérience, Jonathan était resté pour discuter avec elle. Les femmes, lui avait-elle confié, peuvent expérimenter une autre forme de manifestation physiologique exprimant ce lien qui nous unit. Lorsqu'elles vivent ensemble, par exemple en communauté, toutes les femmes assistent au bout de quelques mois à une synchronisation de leurs cycles menstruels : leurs règles surviennent exactement au même moment.

Le condor réapparut au-dessus d'un col, et plana en direction de l'océan.

*Tous les hommes sont reliés.*

Jusque-là, Jonathan se voyait presque seul au monde, à se débattre dans son coin pour s'en sortir. Se débattre... se débattre et lutter.

L'expérience qu'il venait de vivre l'amenait à réaliser quelque chose d'énorme, de fondamental, qui remettait tout en question, sa compétition avec Michael, ses relations ambivalentes avec les clients à qui il refourguait des services inutiles, ses relations conflictuelles avec Angela... Toute l'organisation de son existence avait jusque-là reposé sur une erreur, une vision fausse de la vie. Sa prise de conscience résonnait maintenant au plus profond de lui-même :

Puisqu'on est tous reliés, en luttant contre les autres, on lutte contre soi-même.

# 14

Michael entra dans l'immeuble, sonna au vidéophone et attendit, souriant de toutes ses dents devant l'objectif.

La gâche électrique vibra d'un son strident. Il poussa la porte, traversa le hall et prit l'ascenseur.

Dernier étage.

La sonnette n'émit aucun son, alors il frappa quelques coups brefs.

La porte s'entrouvrit au bout de quelques instants, et le visage de Samantha apparut.

— Comment vas-tu bien ? lança-t-il avec un grand sourire.

La jeune femme le toisa d'un regard inexpressif, jeta un coup d'œil autour de lui, puis s'effaça en tournant les talons.

Michael poussa la porte et entra dans le vestibule. Il suivit Samantha dans le salon, une vaste pièce baignée de lumière blanche. À travers les grandes baies vitrées, les immeubles de San Francisco semblaient flotter dans le brouillard, un brouillard prêt à les engloutir.

La jeune femme s'assit sur l'accoudoir du canapé et croisa les jambes. Elle portait une jupe courte et un chemisier blanc. *Boutonné haut. Dommage.*

— J'ai besoin de tes services, dit Michael.

Elle le fixa sans rien dire.

— Un dîner en ville avec un de mes prospects. Plus si affinités.

Elle le regarda dans les yeux, toujours sans la moindre expression.

— C'est qui ?

— Tu veux toujours tout savoir. Qu'est-ce que ça change ?

— Je veux savoir qui c'est.

Michael fit quelques pas le long de la baie vitrée.

— Le président d'un groupement de petits commerçants. Pour moi, un gros poisson.

— Marié ?

Michael secoua la tête.

— Ou alors il l'a oublié lui-même, dit-il en riant.

Il s'approcha derrière elle et prit ses seins dans ses mains.

Elle le repoussa d'un geste sec.

— Il n'y a pas de mal, protesta-t-il.

— Je ne suis pas un self-service.

— Je pourrais avoir quelques faveurs de temps en temps... Je suis un bon client, quand même...

— Justement. Tu connais le tarif.

— Comme je le dis toujours à mes associés : les clients méritent le respect.

— Les fournisseurs aussi.

— Moi, je suis généreux, avec mes clients. Je prends soin d'eux...

— Chacun sa politique commerciale.

Michael rit de bon cœur.

— Quel sera le programme, au juste ? demanda-t-elle d'un ton méfiant.

— Je t'ai dit, un dîner, et la suite où ça te chante.

— Pas de coup foireux, hein ?

— Mais non...

— Genre m'habiller comme une gamine pour jouer les baby-sitters et me faire surprendre par Bobonne qui fait une crise d'apoplexie...

Michael sourit et mit la main sur son épaule.

— Promis. Maintenant, montre-moi tes jolis seins...

## 15

— Il est vraiment magnifique, ton gazon !

— Tu trouves ?

Margie et Jonathan traversaient le jardin de la propriété, descendant lentement vers l'océan. L'air était encore doux bien que le soleil se soit déjà hissé assez haut dans le ciel. Ça sentait bon le chèvrefeuille et l'herbe fraîchement coupée.

— Le mien est envahi par le trèfle. J'ai tout essayé. Rien ne marche. Alors, je l'arrache à la main et, malgré tout, ça revient. T'as pas un truc à me conseiller ?

Margie se mit à rire.

— Tu m'amuses.

Jonathan s'arrêta.

— Je ne vais quand même le laisser se répandre sans rien faire.

Margie continua de marcher en souriant.

— Pourquoi ?

Jonathan la rattrapa.

— Pourquoi ? Mais... c'est évident, non ?

— Non.

Margie prenait tellement plaisir à jouer avec les préjugés qu'elle était prête à faire l'idiote rien que pour s'amuser à vous voir remettre en question vos idées.

— C'est pas beau, c'est pas esthétique dans une pelouse. Tout le monde sait ça.

— Tout le monde ? Mais toi, comment le sais-tu ?

— Comment je le sais ? Comment je sais que c'est pas beau ? Mais… je le sais, c'est tout. Ça se discute pas, c'est mon goût.

Margie prit un sourire malicieux.

— En es-tu sûr ?

Jonathan en resta coi. Que répondre à ça ?

Margie marchait sans se départir de son sourire, laissant son regard se promener sur son magnifique jardin.

— Ça me rappelle une histoire, dit-elle, une histoire vraie que racontait Robert, un de mes amis de Santa Cruz. Un jour, il se demanda pourquoi sa femme coupait toujours l'extrémité de la dinde de Thanksgiving avant de la mettre au four. Elle lui tranchait un bout de l'arrière-train, et il trouvait ça étrange. « C'est comme ça que ça se prépare », lui répondit-elle. « D'accord, mais pourquoi ? » Il était intrigué, il voulait en savoir plus. « C'est comme ça qu'on fait. D'ailleurs, j'ai toujours vu ma mère préparer la dinde comme ça. » Son mari insista jusqu'à ce qu'elle appelle sa mère. Elle décrocha son téléphone. « Maman, tu sais, la dinde de Thanksgiving, pourquoi tu lui coupes le cul ? » La mère lui répondit sans hésiter : « C'est la recette. » La fille insista à son tour, mais n'obtint pas de réponse satisfaisante. Sa mère se défendait. « C'est la façon de faire, ma propre mère me l'a toujours appris comme ça. » Alors la fille décida d'appeler sa grand-mère et lui posa à son tour la même question : pourquoi fallait-il couper l'arrière-train de cette fichue dinde avant de la cuire ? « C'est comme ça que j'ai toujours fait », répondit la grand-mère. « Pourquoi ? » « Parbleu ! Mon four était trop petit pour mettre la dinde en entier ! »

Jonathan éclata de rire.

— Autrefois, dit Margie, le trèfle faisait toujours partie des plus belles pelouses. C'était vrai dans le monde entier, tu sais. D'ailleurs quand on achetait des sacs de gazon à semer, il contenait toujours des graines de trèfle. On n'aurait pas imaginé une pelouse sans trèfle ! C'est grâce à lui que le gazon restait bien vert par temps sec. Et comme le trèfle absorbe l'azote de l'air, qu'il fournit au sol, il apporte naturellement de l'engrais à la pelouse. Que demander de plus ? Puis, dans les années 1950, les multinationales de la chimie ont développé des désherbants pour supprimer les mauvaises plantes qui poussaient au milieu du gazon. Le problème, c'est que leur désherbant supprimait aussi le trèfle que tout le monde aimait. Du coup, leur cochonnerie était impossible à vendre. Alors ils ont pris le taureau par les cornes, ont investi des millions de dollars en opérations de communication pour répandre l'idée que le trèfle était une mauvaise herbe...

— Tu blagues ?

— À force de publicités, le message a fini par passer. Les gens se sont mis à voir le trèfle d'un autre œil, puis à vouloir s'en débarrasser. Alors les multinationales ont fait coup double : elles ont pu vendre leur cochonnerie de désherbant, et puis ensuite les gens ont dû aussi leur acheter de l'engrais, comme leur pelouse se mettait à manquer d'azote...

Jonathan secoua la tête, dépité.

Margie sourit, les yeux pleins de malice.

— C'est joli, le trèfle, dit-elle. Au printemps, ça donne même de petites fleurs blanches.

Elle baissa la voix pour adopter le ton de la confidence :

— La vie est ainsi : on est loin de se douter que ce que l'on voit comme un problème est en fait parfois… la solution !

Ils continuèrent de descendre lentement le long des massifs de roses et des haies de clématites merveilleusement parfumés. En contrebas, les troncs tordus des pins centenaires se détachaient sur le bleu lumineux de l'océan. Il n'y avait pas le moindre souffle et l'on avait l'impression que les plantes en profitaient pour libérer leurs senteurs, comme si elles savaient qu'elles ne seraient pas confisquées par le vent.

— Et comme on le disait hier, ajouta Margie, la lutte est vaine ; on est tous reliés.

— Euh… si je puis me permettre, on parlait d'êtres humains, pas de plantes !

— Les plantes sont des êtres vivants.

— Oui, mais… bon, il y a des limites, quand même. Tu ne vas pas me faire croire que je suis relié au trèfle de ma pelouse !

Margie sourit tranquillement.

— Va savoir… Tu as déjà entendu parler de ce qui est arrivé aux antilopes koudous à la fin des années 1980 en Afrique du Sud ?

— Pas franchement, non ! dit Jonathan en riant.

— Ça s'est passé dans la savane du Transvaal. J'y étais, il y a presque trente ans…

128

Margie marqua une pause, avant de reprendre d'une voix traînante comme si les mots lui venaient au fur et à mesure que sa mémoire lui rapportait ses souvenirs.

— Je me souviens encore du soleil rouge de l'aube dans les vastes plaines, et du souffle chaud du vent portant l'odeur des fauves. Ces plaines abritaient de nombreuses réserves, où vivaient des koudous, ces grandes antilopes à longues cornes torsadées. Elles avaient l'habitude de manger les feuilles des acacias. Et ces arbres se laissaient faire...

Jonathan se mit à rire.

— Ils n'avaient pas trop le choix !

Margie lui adressa un sourire mystérieux.

— Un jour, les antilopes se sont mises à mourir les unes après les autres dans les réserves, sans que l'on sache pourquoi. Pas d'attaque de fauves, pas de trace de blessures. Il a fallu deux ans à notre équipe de biologistes pour en trouver la cause. Ce que l'on a fini par découvrir a changé bien des choses dans ma vision du monde...

Jonathan fronça les sourcils.

— Jusque-là, les acacias se laissaient faire, car ils savaient que les antilopes mangent quelques feuilles puis s'en vont. Mais cet été-là, les antilopes se sont multipliées dans les réserves. Et elles ont commencé à manger beaucoup plus de feuilles que d'habitude. Les arbres ont alors réagi en accroissant la teneur en tanin de leurs feuilles, pour les rendre plus amères et repousser les antilopes.

Jonathan la regarda d'un air dubitatif.

Margie continua sans réagir :

— Mais les antilopes, affamées, ont continué de manger les feuilles, au point que les arbres étaient menacés.

Elle marqua un silence, puis reprit :

— Alors ils se sont mis à diffuser dans leur sève un poison. Leurs feuilles, habituellement comestibles, sont devenues... mortelles.

Jonathan regarda sa tante, blême.

— Et le plus extraordinaire n'est pas là, dit Margie. Les acacias se sont passé le mot d'arbre en arbre. Ils ont prévenu leurs congénères du danger qui les menaçait s'ils se laissaient manger les feuilles comme d'habitude. Oui, tu m'as bien entendue : les arbres ont communiqué les uns avec les autres, de sorte que chacun s'est mis à produire ce poison.

Jonathan resta silencieux quelques instants avant de répondre.

— Qu'est-ce qui le prouve ? C'est peut-être juste que chaque acacia a réagi individuellement de la même manière en étant confronté au même problème.

Margie secoua lentement la tête en plissant les yeux.

— Tous les acacias du coin se sont mis à rendre leurs feuilles toxiques... y compris ceux qui se trouvaient en dehors des réserves, donc sans contact avec les antilopes. Ils n'avaient aucune raison de réagir ainsi... sauf s'ils avaient reçu l'information.

Jonathan en ressentit un frisson dans le dos. L'idée que des arbres puissent se parler relevait de la science-fiction. Qu'il puisse y avoir une réalité là-dessous était dérangeant.

— On sait comment ils font ?

— On a quelques pistes, mais rien de définitif encore. On sait qu'ils échangent des informations chimiques par leurs racines, *via* la terre, mais on a prouvé que ça ne s'arrête pas là.

— Raconte.

— Une plante sait reconnaître ses voisines qui vivent dans la terre autour d'elle. Quand il s'agit de plantes de la même famille, elle leur laisse de l'espace pour se développer en ralentissant le développement de ses propres racines. À l'inverse, quand sa voisine est étrangère, elle les développe à toute allure pour occuper le terrain. Alors, on a fait l'expérience suivante : on a posé une boîte vide, opaque et hermétique, sur la terre où étaient semées des graines de piment, et on a mesuré le développement des racines. Ensuite on a renouvelé l'expérience, mais cette fois on a enfermé dans la boîte un plant de fenouil. Il faut savoir que le fenouil est connu pour être un ennemi des piments (il diffuse dans la terre et dans l'air des signaux chimiques qui gênent leur développement). On a donc mis le fenouil dans la boîte opaque et totalement hermétique qu'on a disposée sur la terre. Aucun moyen pour ces plantes de communiquer par des échanges chimiques. Et pourtant, on a observé que les piments se mettaient à développer leurs racines en accéléré, comportement typique d'une plante qui a repéré une étrangère sur son territoire. Le piment a donc réussi à savoir que le fenouil était là, mais comment ? Mystère.

— C'est dingue.

Jonathan laissa son regard se promener sur les chèvrefeuilles parfumés, les rosiers, les clématites, les arbustes, les grands pins immobiles et majestueux. Il ne les verrait plus de la même manière, désormais.

— Tu trouves ça dingue parce que tu n'avais jamais entendu parler de ces événements, mais personne ne s'étonne de choses qui arrivent pourtant tous les jours autour de nous…

Jonathan fronça les sourcils.

— À quoi tu penses ?

— T'es-tu déjà demandé, par exemple, comment font les oiseaux pour voler en formation ?

— Qu'est-ce que ça a d'étonnant ?

— Sais-tu qu'ils sont capables de changer brusquement de direction, tous ensemble, sans jamais se toucher ? Alors qu'ils sont très rapprochés, tu sais.

— J'imagine qu'ils se calent sur celui qui se trouve en tête de la formation. Ils doivent se suivre de près en étant extrêmement vigilants, concentrés, réactifs...

Margie secoua la tête en souriant.

— Ça n'explique pas le phénomène. Des scientifiques ont mesuré le temps que mettent les oiseaux à changer de direction après que l'oiseau de tête a changé de cap. C'est moins de temps qu'il n'en faut à l'influx nerveux pour aller de l'œil au cerveau puis du cerveau aux ailes.

Jonathan la regarda en silence, interpellé.

— C'est le même mystère pour les poissons qui nagent en bancs, ajouta Margie. Les recherches ont mis en évidence des choses troublantes : quand on recouvre leurs yeux d'un verre dépoli pour les rendre aveugles le temps de l'expérience, les poissons conservent leur place au sein du banc et continuent de se mouvoir de façon parfaitement coordonnée.

— Leur déplacement doit créer des ondes dans l'eau, des courants que tous doivent sentir...

— C'est ce qu'on a cru. Alors les chercheurs ont sectionné au niveau des ouïes les nerfs de la ligne latérale des poissons étudiés, et leur nage est restée parfaitement synchronisée avec celle des autres.

— C'est vrai que c'est troublant...

132

— On ne sait pas plus expliquer comment font les pigeons voyageurs pour retrouver leur bercail quand on les lâche à des centaines de kilomètres dans un lieu totalement inconnu, les amenant à entreprendre un parcours qu'ils n'ont jamais suivi auparavant.

— Ni les oiseaux migrateurs...

— Exact. On a pensé que leur voyage était enseigné aux oisillons par les parents. Alors des chercheurs les ont séparés à la naissance. Quand les oisillons ont atteint l'âge de voler, on les a lâchés. Ils se sont lancés dans le ciel et ont spontanément traversé la moitié de la planète pour retrouver, à l'endroit précis où ils se trouvaient, leurs parents partis plusieurs semaines plus tôt...

Jonathan resta silencieux quelques instants, songeur. Au loin, on voyait un groupe de bateaux à voiles rouges qui voguaient ensemble. Sans doute une école de voile. La faiblesse du vent les laissait presque immobiles, gentiment malmenés sur place par les flots.

— Où veux-tu en venir ? finit-il par dire.

— Un grand biologiste de l'université de Cambridge, Rupert Sheldrake, a émis l'hypothèse qu'il existerait quelque chose qui relierait les êtres vivants entre eux, et pas seulement les hommes. Quelque chose qu'il a appelé un champ morphique.

Jonathan fit la moue.

— J'ai entendu parler de champs magnétiques, de champs gravitationnels... jamais de champs morphiques.

— Ce serait une sorte de matrice invisible. Comme un espace qui englobrait les êtres vivants qui sont en relation les uns avec les autres et leur permettrait de garder une forme de contact perpétuel. Un lien qui ne s'effacerait ni avec le temps ni avec la distance.

— Ni avec la distance ?

— Oui.

— Ça semble un peu fou. Je peux imaginer qu'on émette des ondes ou je ne sais quoi qui soit perçu par d'autres, qui nous permettent de rester connectés à d'autres, mais si je pars en voyage à l'autre bout de la planète, je ne vois pas comment ça peut continuer de passer.

Margie secoua la tête.

— Ce ne seraient pas des ondes, justement. Pas un champ électrique ou magnétique qui, en effet, s'effacerait avec la distance. Et c'est peut-être ce qu'il y a de plus troublant : ce serait un lien d'un autre ordre, à un autre niveau, comme si on était reliés dans une autre dimension, indépendante du temps et de l'espace. Comme si, en se connectant par moments à cette dimension, on avait alors un accès instantané aux informations qu'elle contient et qui nous relient.

— C'est tellement énorme que c'en est presque flippant...

— Une fois de plus, il n'y a pas encore de certitude scientifique à ce sujet, mais de fortes présomptions avec des débuts de preuves et des expériences troublantes menées par des scientifiques comme Sheldrake. Et ça permettrait d'expliquer les phénomènes dont on vient de parler, et bien d'autres encore.

— Comme quoi ?

— Est-ce que ça t'est déjà arrivé de te mettre soudain à penser à quelqu'un que tu n'as pas entendu depuis longtemps, qui habite peut-être très loin, dans un autre pays, et que cette personne t'appelle un instant plus tard ?

Ou qu'en entendant le téléphone sonner, tu devines que c'est elle ?

Jonathan sentit un frisson. Ce phénomène lui était déjà arrivé à plusieurs reprises. Il l'avait attribué au hasard.

— L'existence de champ morphique expliquerait aussi pourquoi des gens sont capables de sentir le regard de quelqu'un sur eux, alors qu'ils ont les yeux bandés et lui tournent le dos.

— Vrai ?

— À l'institut, on a fait l'expérience sur plus de neuf cents personnes. Les résultats sont sans appel : les personnes ayant cette capacité réussissent à détecter quand un regard se pose sur elles, avec un taux de réussite de 73 %.

— Waouh...

— Il y a aussi les animaux de compagnie qui savent à l'avance quand leur maître va rentrer à la maison, et se lèvent pour l'accueillir à la porte quelques minutes avant son arrivée, par exemple. Sheldrake a fait énormément de recherches sur ce point. Il a montré que ce genre de comportements manifestés par des chiens et des chats avant le retour du maître ne peuvent pas s'expliquer par ses habitudes horaires (il a fait varier l'heure du retour de façon aléatoire), ni par la reconnaissance du son de sa voiture ou du bus (il a fait varier le moyen de transport), ni à leur odorat développé (il a fait voyager le maître dans des véhicules étanches).

Jonathan acquiesça lentement. Il avait déjà entendu des amis lui raconter ce genre de choses, mais ne les avait jamais prises au sérieux.

— Ça permettrait aussi de mieux comprendre pourquoi autant d'animaux ont fui avant l'arrivée du fameux tsunami qui a ravagé bon nombre de rivages d'Asie du Sud en 2004, alors qu'aucun signe n'était perceptible par leurs cinq sens. C'est le cas des éléphants du Sri Lanka, notamment. Ils se sont repliés dans les terres et sur les hauteurs une heure avant le raz-de-marée dévastateur. En Thaïlande, dans un camp où l'on promène les touristes sur leur dos, les éléphants se sont mis à barrir bizarrement tôt le matin, et par la suite ils refusaient d'obéir. Ensuite, ils ont brisé leurs chaînes et sont partis gravir les collines. Les quelques hommes qui les ont suivis ont été sauvés. Bien d'autres animaux ont eu des comportements similaires. Comme dans le parc national de Yala, au Sri Lanka, où les vagues ont tout dévasté sur trois kilomètres à l'intérieur des terres sans que l'on puisse retrouver une seule carcasse animale au milieu des victimes humaines.

— Et comment expliques-tu que les hommes se soient fait piéger, si on est aussi reliés à ce champ dont tu parles, alors ?

Margie soupira.

— L'apparition de la technologie dans la vie des hommes nous a coupés de certaines de nos facultés, même si ses apports sont parfois fabuleux par ailleurs. On a tous constaté que notre mémoire est moins performante depuis que l'on s'en remet à des agendas électroniques pour nous rappeler ce qu'on a à faire.

— C'est clair…

— Ou encore que l'on perd progressivement le sens de l'orientation depuis que l'on se laisse guider par des GPS.

— Peut-être, mais je préfère ça plutôt que de galérer à chercher mon chemin.

— On parlait du tsunami de 2004. À l'époque, certaines tribus dites primitives ont elles aussi senti l'arrivée du danger et se sont également repliées sur les hauteurs bien avant l'arrivée du tsunami, alors que les hommes dits évolués sont morts sans rien voir venir.

— Je ne le savais pas.

— C'est le cas des peuples indigènes des îles Andaman et Nicobar situées tout près de l'épicentre du séisme où l'on a compté près de sept mille victimes : les tribus des Sentinele, des Onge, des Grands Andamanais, des Shompen s'en sont tous sorties miraculeusement. Sur l'île de Jirkatang, les deux cent cinquante membres de la vieille tribu Jarawa se sont repliés dans les terres longtemps avant l'arrivée des vagues et ont vécu de noix de coco pendant dix jours. Au sud de l'île de Surin, les deux cents membres de la tribu Moken, tous sauf un garçon handicapé, se sont également mis à l'abri bien avant le moment fatidique. Quand on leur a demandé comment ils avaient fait pour savoir qu'un tel drame allait se produire, ils ont paru surpris par la question, comme si la réponse était une évidence. « On a juste écouté la nature », ont-ils dit.

Jonathan sourit.

— Victor Hugo disait : « La nature nous parle, mais nous ne savons pas l'écouter. »

Margie acquiesça.

— D'ailleurs, ces peuples premiers sont capables de choses étonnantes. Ils ont clairement un accès à une source d'information mystérieuse qui nous est étrangère.

— Tu penses à quoi ?

— Les Indiens d'Amazonie sont capables de trouver l'arbre ou la plante qui va guérir un malade. Mais en Amazonie, il y a plus d'espèces différentes d'arbres sur un seul hectare qu'il y en a sur l'Europe entière. Pour ne parler que des arbres. Les variétés de plantes, il y en a plus de quatre-vingt mille différentes qui poussent autour d'eux. Et quand on leur demande comment ils font pour déterminer laquelle va guérir la personne, ils répondent que ce sont les plantes qui le leur disent.

Jonathan réprima un sourire.

— Leurs chamans se mettent en transe et c'est dans cet état modifié de conscience qu'ils disent entrer en relation avec l'esprit des plantes. Comme si cette transe leur permettait de se connecter plus facilement à...

— ... un champ morphique.

— Exactement. Tiens, autre exemple troublant : ils ont mis au point depuis des générations différentes formules de curare, ce poison qui leur sert à la chasse parce qu'il provoque une paralysie instantanée de tous les membres de la victime. Des chercheurs occidentaux se sont penchés dessus et ont trouvé que certaines formules étaient sophistiquées, mettant en œuvre des éléments issus de plantes très différentes, chaque élément jouant un rôle essentiel à la préparation. Si un seul de ces composants manquait, ou si le dosage de l'un d'eux changeait, le poison ne serait pas efficace. Comment ont-ils trouvé la formule ? Ils n'ont pas de livres, pas de labos, pas d'instruments. Ils sont analphabètes.

— Ils ont peut-être procédé par essais-erreurs.

— Non. Ça peut marcher si tu cherches la combinaison de deux ou trois composants parmi quelques dizaines ou quelques centaines, mais la composition de sept ou huit éléments parmi quatre-vingt mille donne plusieurs millions de possibilités. Nul ne peut faire des millions d'essais.

Jonathan laissa son regard se promener sur le jardin et ses centaines d'arbres, d'arbustes, de buissons, de plantes, d'herbes. C'était drôle d'imaginer que quelque chose nous reliait.

— Tu sais, dit-il, que t'es en train d'écraser sauvagement plusieurs centaines de brins de pelouse avec tes pieds ?

Margie rit de bon cœur.

— C'est vrai que la perspective d'un lien amène à revoir nos relations avec la vie qui nous entoure, dit-elle en promenant un regard admiratif sur la végétation de son jardin. Ce qui est sûr, c'est qu'on est fait pour vivre ensemble. D'ailleurs, plusieurs études ont montré des choses assez parlantes.

— Par exemple ?

— Des chercheurs ont prouvé que le simple fait de marcher en forêt renforçait notre système immunitaire.

Jonathan pensa à ses marches dans la nature sauvage de Big Sur. Il se sentait tellement bien dans ces moments-là…

— D'autres études, dit-elle, prouvent que la présence de plantes dans les bureaux fait baisser les maux de tête de 30 %, la fatigue de 20 % et les maux de gorge de 20 %. On trouve des résultats du même type concernant la présence d'animaux autour de nous. Ainsi, on sait qu'une personne ayant subi un infarctus a 23 % de chances de plus d'être encore vivante un an après si elle vit avec un chien à la maison.

— Tu vas me faire culpabiliser : Chloé a toujours réclamé un animal. Angela était d'accord, mais je m'y suis toujours opposé.

Margie sourit.

— L'être humain est un être de relations. Relations avec les autres, avec les animaux, avec les plantes. Ce sont les relations qui nous font vivre. D'ailleurs, on peut vraiment l'affirmer depuis l'expérience menée par Frédéric II du Saint Empire au XIII<sup>e</sup> siècle.

— Jamais entendu parlé.

— Cet homme parlait couramment six ou sept langues et se demandait quelle était la « langue de Dieu », celle que l'on parlerait naturellement si aucune ne nous était enseignée. Alors il a monté une expérience qu'heureusement on ne se permettrait plus de refaire aujourd'hui.

— Qu'est-ce qu'il a fait ?

— Il a fait isoler des nouveau-nés qu'on a confiés à des nourrices missionnées spécialement. Elles avaient pour consignes de leur fournir à manger, à boire, et de les changer pour qu'ils soient propres, bref, de répondre à tous leurs besoins physiologiques. Mais elles n'avaient pas le droit de les câliner, de jouer avec eux ni surtout de leur parler.

— Alors, quel langage ont-ils développé ?

— On n'a jamais su.

— Pourquoi ?

— Ils sont tous morts. Pourtant, tous leurs besoins physiologiques étaient assouvis. Ils étaient uniquement privés de relations.

Jonathan secoua la tête, dégoûté.

— C'est atroce.

— Les relations sont l'essence de notre vie, Jonathan.

Ces derniers mots de Margie semblèrent rester suspendus dans les airs. Le soleil brillait fort, maintenant, et Jonathan savait que sa tante ne tarderait pas à rentrer.

Sur l'océan, un léger vent était apparu et les petits voiliers avaient repris leur route, tous ensemble.

*Les relations sont l'essence de notre vie.* Les principales relations de Jonathan étaient désormais avec ses clients. Mais peut-on vraiment parler de relations quand il s'agit de gens dont on attend quelque chose ? Des gens à qui l'on ne dit pas toute la vérité afin d'obtenir une signature ? Bof. Pas terrible…

— Certains croient pouvoir vivre sans dépendre de personne. Ils pensent que leur bonheur ne dépend que d'eux-mêmes. C'est une illusion monumentale.

Margie se pencha vers Jonathan, et adopta son fameux sourire malicieux.

— À l'intérieur de ton corps vivent cinq cents espèces de micro-organismes.

— Moi qui me sentais seul.

— Cent mille milliards de bactéries vivent dans ton intestin.

— Arrête, c'est dégoûtant.

— Ces bactéries qui vivent en toi sont cent fois plus nombreuses que les cellules de ton corps.

— Tais-toi, tu me donnes envie de faire une cure d'antibiotiques.

Margie sourit.

— On a parfois besoin de ceux que l'on croit nos ennemis.

— Qu'est-ce que tu vas me sortir, encore ?

— Ces bactéries te protègent contre des organismes virulents qui pourraient te rendre gravement malade. Les tuer avec des antibiotiques te rendrait très vulnérable. Et puis…

— Quoi ?

— Il y a autre chose, dit-elle d'un ton un peu mystérieux.

Jonathan fronça les sourcils.

— Les bactéries qui vivent dans ton intestin sont responsables du bon dosage de ta sérotonine. Sans elles, tu en manquerais.

— C'est quoi, déjà, la sérotonine ?

Margie le regarda quelques instants en faisant durer le suspense.

— L'hormone qui t'amène à te sentir heureux.

# 16

Austin Fisher cligna des yeux puis secoua doucement la tête, essayant de chasser ses souvenirs. Se recentrer sur l'instant présent. Le passé n'existe plus. Inutile de le ressasser. Il prit une balle de tennis en main et la pétrit entre ses doigts, se concentrant sur la sensation physique procurée. La sensation, c'est du présent, rien que du présent. Au bout de quelques instants, pourtant, l'image du joueur danois revint devant ses yeux, et il entendit de nouveau sa voix un peu nasillarde, sa tonalité odieuse lors de son interview sur CNN.

*Austin Fisher est juste une machine, une machine à gagner.*

De la jalousie. C'est la jalousie qui a poussé ce sportif raté à débiter ces horreurs.

Recentre-toi, t'es un professionnel.

Il avait souvent, dans sa carrière, entendu des commentateurs tenir des propos désagréables. Ça faisait partie du jeu, et il était parvenu à ne pas trop se laisser atteindre. Bien sûr, il en ressentait régulièrement de l'agacement et même de la colère, mais là, c'était différent. Jamais cela ne l'avait touché autant. Alors pourquoi maintenant ? Pourquoi ? Pourquoi lors du tournoi qui devait le faire entrer dans les annales du sport ?

*Une machine à gagner, dénuée de sentiments, et c'est ce qui fait sa force.*

Comment pouvait-on être aussi injuste dans ses propos ? Nier le travail énorme qu'il s'imposait, toutes ces années consacrées à l'entraînement, ce travail acharné, sans loisirs ni légèreté. Balayer tous ces efforts d'un revers de manche…

À cet instant, Warren entra dans la pièce baignée de lumière. Le salon de la villa louée pour la durée du tournoi avait de grandes baies vitrées donnant sur la piscine. Le sourire que Warren affichait s'effaça bien vite à la vue du joueur.

— Quelque chose ne va pas ?

— Ça va, ça va. Pas de problème, répondit Austin d'un ton neutre parfaitement maîtrisé.

Warren regarda Austin un instant puis s'assit sur l'accoudoir d'un canapé en face du joueur.

— C'est… ce joueur danois, c'est ça ?

Austin resta immobile quelques instants, puis finit par acquiescer en faisant la moue. Autant avouer à Warren sa faiblesse. Si on commence à cacher des choses à son coach, on est mal barré.

— J'ai beau chasser son image et ses paroles de mon esprit, elles reviennent et me poursuivent.

Warren plissa les yeux.

— Et ça te fait quoi ?

Austin prit un instant pour observer ce qui se passait en lui.

— Je ressens de l'injustice, ça me rend triste et ça accapare mon attention. Bref, ça me perturbe.

— D'habitude, ça te met plutôt en colère, dit Warren l'air très préoccupé.

— D'habitude, c'est un journaliste qui dit ce genre de choses et ça me met en colère. Mais là c'est un joueur comme moi, et je sais pas pourquoi, mais ça m'attriste. Ça me blesse.

Warren resta silencieux quelques instants, puis il se leva.

— Dans deux minutes, tu en riras. Dans le passé, j'ai beaucoup travaillé sur ce type de problèmes, dans le monde de l'entreprise. Le contexte est différent, mais le schéma est le même. Là-bas, c'étaient plutôt des gens qui ruminaient les reproches indus de leur patron ou les remarques méchantes de collègues aux dents longues.

Il saisit une carafe posée sur la table basse.

— Tu veux un verre d'eau ?

Austin acquiesça. Warren les servit tous les deux et tendit son verre au joueur.

— Tu disais que son image et ses paroles revenaient à toi. Sous quelle forme ? Dis-m'en un peu plus.

— Sous quelle forme ? Euh… Comment dire… Je vois sa tête là, telle qu'elle est apparue à la télé…

— À quelle distance de toi tu la vois ?

— Comment ça ? Elle est dans ma tête, pas à distance…

— Oui, et si tu devais localiser dans l'espace cette image mentale telle que tu te la représentes, tu dirais qu'elle est où ?

Austin se concentra. Pas facile de dire où se positionne la vision d'un souvenir…

— Je dirais… à trois mètres devant moi.

— Quelle dimension a cette image ?

Austin réfléchit un instant, tentant de faire réapparaître la vision.

— Une sorte de carré d'un mètre de côté.

— En couleurs ou en noir et blanc ? Contrastée ou fondue ?

— Couleurs, contrastée. Son teint d'ivrogne crève l'image.

— C'est une image figée ou ça bouge ?

— C'est un film. En fait, je me repasse mentalement le film de son interview.

— OK. Et la voix, décris-moi sa voix telle que tu l'entends.

— Elle est forte, malgré le ton nasillard. J'entends en boucle ses jugements.

— OK. Maintenant prends cette image et éloigne-la un peu, disons à quatre ou cinq mètres.

— Pour quoi faire ?

— En faisant varier la façon dont tu te représentes ce souvenir, on va changer ton ressenti à son sujet. Recule la vision à quatre ou cinq mètres.

Austin regarda l'image mentale du joueur qui s'agitait, et la visualisa qui s'éloignait un peu. Il hocha la tête.

— Très bien, dit Warren. Maintenant, réduis sa taille lentement. Diminue-la de moitié.

— OK.

— Maintenant, retire-lui quelques couleurs, rends-la plus fade, plus pâlichonne, presque en noir en blanc.

Austin sourit en opérant ces changements.

— Très bien, dit Warren. En quoi cela change ton ressenti ?

— Je suis plus détaché.

— Parfait. Alors maintenant, on va jouer avec sa voix. Fais-le continuer de parler, mais avec une voix endormie, de plus en plus lente, traînante et grave, une voix qui dégouline comme de la glu. Et il tient toujours les mêmes propos.

Austin se concentra quelques instants, puis se mit à ricaner.

— Maintenant, dit Warren, tu vas ajouter une petite musique en fond sonore, une musique qui accompagne ses propos. Tu entends toujours ce qu'il dit ?

— Oui.

— Ajoute une petite musique... de cirque ! Une musique de cirque comme on en entend parfois, une petite musique rigolote et un peu ridicule, bouffonne, grotesque. Tu l'entends par-dessus la voix du type qui continue de parler de sa voix de guimauve fondue.

Austin se mit à rire en visualisant mentalement ce petit film imaginaire. Le joueur avait un air d'idiot du village, complètement bourré.

*Auuustin Fiiiisher est uuuuune maaachiiiine.*

Avec la musique de fond, ses propos étaient totalement loufoques.

— Maintenant, recommence, dit Warren, repasse ce nouveau film encore une fois, en avant, puis en arrière.

— En arrière ?

— Oui, comme si le projectionniste d'un vieux cinéma rembobinait la pellicule. La scène défile en sens inverse.

Austin se concentra. C'était pas facile.

— Repasse-le en avant, toujours avec la musique de cirque et tout le tintouin.

Austin se détendit. La vision du joueur danois n'avait plus aucun effet négatif sur lui. Il écoutait ses propos en riant doucement.

— À partir de maintenant, dit Warren, chaque fois que le souvenir de ce joueur te reviendra, tout ce décorum l'accompagnera.

Austin sourit. Il se dit qu'il appliquerait aussi la technique aux vieux reproches de son père, martelés dans son enfance et qui, surgissant du néant, résonnaient encore parfois à ses oreilles.

Mais pas maintenant. Surtout pas. Plus tard. Quand il aura remporté le tournoi.

# 17

Gling !

Les verres s'entrechoquèrent dans un son cristallin. La terrasse du café était inondée de soleil.

— À la vôtre ! dit Jonathan, tout sourires.

— À la tienne, marmonnèrent Michael et Angela.

Michael avait la mine contrariée depuis l'annonce de Jonathan que non, son retour à San Francisco ne signifiait pas pour l'instant reprise du travail.

— T'as bonne mine, dit Angela d'un air un peu envieux. Je ne sais plus qui est l'idiot qui a dit : « Le travail, c'est la santé. »

Depuis deux jours, Jonathan était sur un petit nuage. Ses discussions avec Margie l'avaient enthousiasmé, lui redonnant le goût de vivre. Il voyait désormais le monde autrement, et la vie lui donnait le sentiment de participer à une aventure mystérieuse, unique, extraordinaire. Il ignorait certes pour combien de temps, mais il savourait désormais la magie de chaque instant. Dès que son regard croisait celui de quelqu'un d'autre ou se posait sur une fleur, une plante ou un oiseau, il avait envie de sourire.

— T'as pourtant l'air d'aller mieux, dit Michael d'un ton de reproche.

— Oui, je vais bien.

Michael but une gorgée.

— La croissance du cabinet a sérieusement ralenti depuis ton départ, dit-il.

Jonathan observa ses associés en souriant. Son regard alla de l'un à l'autre. Les traits de leurs visages, leurs expressions, leurs yeux, les moindres mouvements qui les animaient révélaient quelque chose d'eux, de leur vie, de leurs peurs et de leurs espoirs. À travers ces traits, Jonathan parvenait à déceler les enfants que ces adultes avaient été, ces enfants qui avaient vécu, qui avaient mûri, évolué, mais qui composaient toujours une partie d'eux-mêmes. Cette vision rendait touchants ses associés.

Jonathan réalisa qu'il avait rarement l'occasion de les regarder *vraiment*, comme ça. Nos yeux glissent sur les gens sans les détailler, sans leur prêter attention.

— Ça me fait plaisir de vous voir, dit-il la mine réjouie.

Les autres lui jetèrent un regard oblique. Michael rompit le silence le premier.

— Tu comptes reprendre le boulot quand ?

Mais Jonathan restait sur son petit nuage.

— La vie est…

Michael et Angela fixèrent Jonathan du coin de l'œil, attendant la chute.

— … belle. La vie est belle.

Angela croqua un radis.

— T'as d'autres réflexions profondes comme ça ?

150

— La vie est belle et on ne s'en rend pas compte. Regarde ce radis que tu manges. N'est-ce pas une merveille ? Non, mais… regarde-le vraiment… Il mérite qu'on admire sa beauté avant de l'avaler, qu'on… le remercie de s'offrir à nous.

Les deux autres le toisaient avec un air bizarre, indescriptible.

Jonathan inspira à fond, soulevant ses épaules dans un geste d'impuissance à décrire ce qu'il ressentait.

— Je trouve juste que… la vie est fantastique, et quoi qu'on dise, malgré la crise, on vit une époque formidable.

— Tu dis ça parce que t'es en vacances, toi, dit Angela.

— Non mais, regardez, quand on prend un peu de recul, le simple fait de pouvoir s'asseoir comme on le fait, là, où on veut, et de pouvoir choisir ce qu'on veut manger, c'est incroyable, non ?

— Qu'est-ce qu'il t'arrive ?

— Non mais… si on se replace à l'échelle de l'histoire de l'humanité, vivre dans un pays en paix, se déplacer librement, et manger ce qu'on veut en le décidant comme ça, d'un claquement de doigts, c'est exceptionnel ! Ça nous semble banal, mais c'est un luxe incroyable !

Michael et Angela avaient arrêté de mâcher. Ils fixaient Jonathan d'un regard soucieux.

— En prenant ma douche ce matin, continua Jonathan, je me disais qu'il suffit de tourner un robinet pour que l'eau afflue. Vous vous rendez compte ? Ça aussi, c'est dingue ! Je tourne un robinet, et j'ai de l'eau. Je la veux froide ? Elle sort froide. Je la veux chaude ? Elle coule chaude sur moi, comme ça. Vous réalisez un peu ? Ensuite, s'il fait trop sombre, j'appuie sur un bouton, et la lumière s'allume !

— Vaut mieux t'essuyer les mains d'abord, dit Michael.

— Mais vous réalisez un peu ? Un bref mouvement du doigt, et on fait venir la lumière ! On devrait s'en réjouir chaque fois ! J'ai froid, j'appuie sur un autre bouton, et ma maison chauffe. C'est pas un truc de dingue, quand on y pense ?

Ses deux associés le fixaient, Michael les sourcils froncés, Angela les yeux écarquillés.

— T'as fumé quoi ? demanda Michael.

— J'aimerais bien le savoir, dit Angela d'un ton envieux.

Jonathan sourit, but quelques gorgées, puis grignota en silence.

— Regardez ça ! dit-il soudain.

Michael et Angela se penchèrent vers l'assiette de légumes crus servis en apéritif avec une sauce au fromage. Jonathan tenait entre les doigts une tête de brocoli.

— Approchez, regardez de près.

— Quoi ? dit Angela. Il y a un vers ?

— Regardez cette merveille. Chaque tête se ramifie en têtes plus petites qui ont exactement la même structure, et quand on regarde de près chacune d'elles, on la voit se diviser encore en têtes miniatures de même forme. Il y a une dimension fractale au brocoli. Dans chaque partie, on retrouve le tout. Un peu comme si chacun de nous était à l'image de l'humanité tout entière, ou comme si l'univers entier se retrouvait dans une poignée de terre.

— Fabuleux, dit Angela d'un ton morne.

— Quand on mange, finalement, c'est la vie qui se nourrit de la vie. Au final, la vie contient la vie en son sein.

Michael fronça les sourcils. Angela plissa les yeux.

— Tiens, d'ailleurs, j'ai appris un truc incroyable, continua Jonathan. Il y a des milliards de bactéries qui vivent dans notre intestin, et...

— Une vraie fosse septique ambulante, dit Michael.

Angela fit la grimace.

— Et vous savez quoi ? reprit Jonathan. C'est elles qui nous fournissent la sérotonine, l'hormone du bonheur. C'est fou, non ? C'est grâce à ces bactéries qu'on se sent bien !

Angela soupira.

— C'est quoi ton message ? Qu'en fait, c'est ceux qui nous font chier qui nous rendent heureux ?

Elle trempa un radis dans la sauce avant d'ajouter :

— J'aurais peut-être dû dire à ma belle-mère de vivre chez nous, finalement...

## 18

« Passé un certain stade, on peut penser que l'on va atteindre un point de non-retour, et que le réchauffement climatique engendrera alors des effets incontrôlables.

— Tels que ? »

Le scientifique se racla nerveusement la gorge, manifestement en proie au trac. Ryan sourit. Ce type se permettait de donner des leçons à tout le monde alors qu'il n'était même pas capable de parler à la télé.

« L'élévation de la température entraîne une fonte des glaces aux pôles. En fondant, ces glaces risquent de libérer le méthane qu'elles contiennent. Or ce méthane actuellement emprisonné est lui-même un gaz à effet de serre...

— Vous voulez dire que la machine risque alors de s'emballer ? »

L'invité acquiesça.

« Et ça va mener où ? »

Ryan coupa la télé. Marre d'entendre ces conneries.

Il se rendit à la fenêtre de sa chambre. Personne dans l'enfilade de jardins. Au petit matin, il y avait filmé le quatorzième épisode des haussements d'épaules de Gary, épisodes désormais attendus par une palanquée de fidèles spectateurs.

Il retourna dans le salon et jeta un coup d'œil à travers ses voilages noirs. Michael et Angela étaient assis à une table.

Il alluma le micro parabole et enclencha la caméra.

— C'est fou ce que Jonathan a changé, depuis votre séparation. Il est zen, détendu, positif...

— Je te remercie, ça fait plaisir, dit Angela, vexée.

— Bon, certes, un peu allumé, aussi...

Michael saisit un radis et le tint devant lui, à hauteur de ses yeux.

— Ô toi, Radis, merveille de la nature ! Je te remercie de te donner à moi, de te laisser manger, de sacrifier ta vie pour moi. La vie se nourrit de la vie et l'homme, du radis !

Il le croqua d'un air inspiré et le mâcha cérémonieusement en fermant les yeux. Angela rigola.

— C'est bien mignon tout ça, mais il faudrait quand même qu'il se décide à revenir bosser. Le chiffre du cabinet peut plus continuer à stagner comme ça.

Michael acquiesça, soudain préoccupé.

— Bon, alors, quand est-ce que tu me vends tes parts, pour ne plus avoir à endurer la vision insoutenable de ton ex-compagnon radieux et épanoui ?

— N'y compte pas.

— Tu changeras d'avis.

— Le rachat de mes parts ne me suffirait même pas pour envisager de créer autre chose.

Le visage très mobile du survolté Michael s'immobilisa. Ryan se dit que le rapace avait détecté une faille chez son interlocutrice. Il zooma légèrement.

— Si tu veux avoir un deuxième pactole en complément pour monter autre chose, y a une solution.

Angela leva les yeux.

— Quoi ?

— Au lieu de demander à Jonathan une pension alimentaire mensuelle, demande-lui un capital, une grosse somme d'un seul coup.

Angela haussa les épaules.

— Et après je touche plus rien ? Ce serait de la folie, Chloé n'a que sept ans...

— Au contraire, c'est plus prudent : Jonathan est tellement bizarre en ce moment, mieux vaut tenir que courir. Ce qui est pris est pris.

Angela eut l'air de réfléchir à l'argument. Elle continua de manger en silence les sourcils froncés.

— De toute façon, dit-elle au bout d'un moment, il refusera. Il n'a pas d'épargne. C'est impossible pour lui.

Ryan zooma sur le visage de Michael. On sentait qu'il réprimait un sourire de victoire.

— Il se débrouillera, dit-il d'un ton énigmatique. Quand on veut se procurer de l'argent, on trouve toujours une solution.

Ryan fit la moue, et balaya du regard le reste de la terrasse. Il repéra deux filles en pleine discussion à une autre table et pointa sur elles son matériel.

— Trop drôle, dit une jeune femme brune, cheveux mi-longs avec des lunettes en écailles. Tiens, t'es au courant, pour le rouquin de la compta ? Il s'est fait virer. C'est triste, il était super sympa, ce gars-là.

— Qui ça ?

— Mais tu sais, le mec qui s'occupe de la compta clients. On le voit de temps en temps à la cantine, il est souvent assis près de la vitre.

— Ah oui, je vois.

— Il est vachement sympa, ce type.

— Ah non, c'est un con.

— Mais si, il est adorable, je t'assure.

— Ah non, j'suis allée le voir, l'autre jour, pour un client qu'avait pas été payé. Il a pas voulu sortir son dossier sans avoir son numéro de client. Il a fallu que je retourne à mon bureau, tu vois le genre.

— Ah bon ?

— Ouais, et puis une autre fois j'avais besoin de lui. J'entre dans son bureau, il était en ligne. Moi, je voulais juste un renseignement, et ben il m'a fait attendre jusqu'au bout de sa conversation. Tu crois qu'il se serait interrompu une seconde, juste pour savoir ce que je voulais. Rien. Que dalle. Il est con, ce mec...

La brune fit la moue une seconde.

— Ah oui, finit-elle par dire. T'as raison, c'est un con.

Ryan explosa de rire et coupa.

Allez... 12/20. On publie.

La scène lui faisait penser à une expérience qu'il avait lue, menée par des chercheurs en psycho. Ils avaient réuni un groupe de comédiens dans une pièce, tous complices. Ensuite, ils faisaient entrer un volontaire, le genre de type qui accepte d'être cobaye pour gagner un peu de fric et arrondir ses fins de mois. On lui faisait croire que les comédiens étaient des cobayes comme lui, et ils se mettaient à discuter tous ensemble, en attendant le début de l'expérience car on leur avait dit que les chercheurs avaient du retard. En réalité, le type ignorait que l'expérience était en cours.

À un moment, l'un des comédiens exprimait une idée totalement saugrenue, et le type, bien sûr, la réfutait. Faut dire que c'était vraiment une grosse connerie, et en plus, on voyait que ça heurtait un peu ses valeurs.

Sauf qu'au fur et à mesure, les autres comédiens s'exprimaient et chacun abondait dans le sens du premier. Ils soutenaient tous la même idée, et affirmaient que c'était bien la vérité.

Et au bout d'un moment, on percevait le basculement mental du cobaye. Il a commencé par douter, on voyait qu'il hésitait, puis il s'est mis à adhérer. À la fin, il était totalement convaincu.

## 19

Chloé était folle de joie. Cela faisait plaisir à voir. Enfin, Jonathan tenait sa promesse de l'emmener au Muséum d'histoire naturelle.

Il gara la Chevrolet blanche fraîchement réparée, et ils marchèrent ensemble jusqu'à l'entrée. C'était bon de sentir sa petite main dans la sienne.

Le ciel était bleu, sans aucune brume matinale, et l'air encore frais portait le parfum léger des arbustes en fleur qui bordaient le chemin menant au musée. On entendait des éclats de voix dans les langues variées des touristes qui affluaient en petits groupes vers le Muséum.

À l'intérieur, l'exposition sur l'Amazonie était fascinante. Dans une serre géante était reconstituée une portion de forêt tropicale avec des arbres de près de quinze mètres de haut desquels pendaient çà et là des lianes enchevêtrées qui se mêlaient à toutes sortes d'arbustes touffus et de plantes envahissantes. La lumière était faible, recréant une pénombre fidèle à l'originale. Le tout dans une atmosphère incroyablement humide, où l'air moite et chaud était chargé des senteurs puissantes de plantes exotiques inconnues.

Des tableaux expliquaient la formidable diversité des espèces hébergées par la forêt amazonienne, et révélaient que la plupart des firmes pharmaceutiques du monde entier s'y rendaient pour y étudier les plantes qui feraient les remèdes de demain, parfois en interrogeant dans le plus grand secret les chamans afin de s'inspirer de leur savoir.

Les pancartes rappelaient la menace que les exploitants faisaient planer sur la forêt, et le rythme inquiétant de sa destruction. Jonathan ne put s'empêcher d'en ressentir un pincement au cœur.

Après l'exposition, ils rejoignirent le grand hall de l'évolution où, à peine entrée, Chloé poussa un cri.

Devant elle se dressait le squelette gigantesque d'un dinosaure. La gueule ouverte exhibait une mâchoire d'une taille démesurée dotée de dents menaçantes. À elle seule, la mâchoire était plus grande que Chloé tout entière !

Ils firent le tour du géant osseux, mais l'esprit de Jonathan était encore absorbé par la forêt amazonienne et la menace qui pesait sur elle.

L'homme civilisé avait déjà détruit l'équilibre biologique de ses champs : en quelques décennies, les cultures intensives à coups de pesticides avaient transformé ces lieux où fourmillait autrefois la vie de milliers d'espèces d'insectes et d'animaux en un espace mort où, sur des centaines de milliers d'hectares, s'étalait à perte de vue une seule céréale. Un espace expurgé de presque toutes les autres formes de vie. Un vide abyssal.

La destruction de la forêt amazonienne était, Jonathan le sentait, l'acte à ne pas commettre. À ne pas poursuivre. L'erreur de trop.

Chloé ne quittait pas des yeux le squelette géant. À proximité passait un groupe de visiteurs encadré par une conférencière à l'accent très british.

« Avant leur extinction, disait-elle, les dinosaures étaient devenus une espèce prépondérante sur notre planète dont ils dominaient tous les écosystèmes. Ils ne connaissaient plus aucun prédateur et ils régnaient en maître sur la terre, dans les mers et dans les airs. Tous les animaux étaient à leur merci, toutes les plantes, tous les arbres : ils avaient acquis le pouvoir de détruire tous les autres êtres vivants, et ils usaient sans complexe de ce pouvoir... »

Jonathan repensa en souriant aux propos de Margie : dans l'histoire du monde, disait-elle, tous ceux qui ont eu vocation à s'imposer se sont désintégrés.

« À la fin de leur règne, reprit la conférencière anglaise, les dinosaures devenaient de plus en plus grands, et de plus en plus obèses. Rien ne laissait présager leur disparition soudaine qui reste aujourd'hui encore, malgré les hypothèses avancées, un mystère. »

— Papa, j'ai faim !

— C'est les dinosaures qui te donnent faim, ma chérie ?

— Je ne peux plus attendre, j'ai trop faim !

Ils se dirigèrent vers la sortie et entrèrent dans le fast-food installé à proximité. Il acheta un hot dog géant pour sa fille et pour lui un énorme hamburger, qu'ils mangèrent en marchant dans le jardin.

— Tu aimes ?

— C'est délicieux ! dit Chloé. Et la sauce est la meilleure du monde entier !

C'était tellement craquant de voir Chloé ouvrir avec peine sa petite bouche pour croquer dans ce sandwich bien trop grand pour elle. À sept ans, elle avait encore gardé quelques traits du bébé qu'elle était autrefois, comme ces belles joues rondes avec des fossettes qui apparaissaient quand elle souriait. C'était un tel bonheur d'être avec elle, de la regarder se régaler comme ça. Il regrettait les années passées qu'il avait sans doute trop consacrées à son travail au détriment de sa famille. Angela avait raison quand elle le lui reprochait. Il n'avait jamais voulu l'admettre, arguant toujours que c'était pour elles qu'il s'investissait dans le cabinet. Pour leur avenir. C'était juste, mais le présent ne se revit pas une seconde fois. Les moments perdus le sont pour toujours. Heureusement qu'il s'en rendait compte maintenant. Chloé était encore une enfant, et il était bien décidé à savourer leur relation, ne serait-ce qu'un week-end sur deux. Il laisserait désormais son téléphone portable, ses e-mails, textos et autres applis de news à la maison.

— Il est bon, ton hamburger ? demanda-t-elle.

— Pas mal, et…

Sur un banc, à quelques mètres, était assis un homme au visage familier. Mais d'où Jonathan le connaissait-il ? Impossible de mettre un nom… Leurs regards se croisèrent sans que l'autre réagisse.

Mais oui, bien sûr !

— Je vous ai vu à la télé l'autre jour, lui dit Jonathan en s'approchant. Un reportage sur l'expo amazonienne.

L'homme acquiesça en souriant. C'était l'Indien qui parlait de la forêt. Marrant de voir en vrai un inconnu qui passait sur le petit écran quelques jours plus tôt.

— Vos propos de l'autre jour m'ont touché, dit Jonathan. C'est terrible que cette forêt soit détruite, tout ça pour de l'argent.

L'Indien acquiesça en silence.

164

— Les autres pays, continua Jonathan, devraient faire pression sur les Brésiliens pour qu'ils cessent de faire ça.

L'Indien le fixa quelques instants d'un regard profond.

— Vous pouvez dire ça, finit-il par dire d'un ton énigmatique, presque indulgent.

Jonathan fronça les sourcils. L'autre continuait de le fixer tranquillement de ses yeux charitables.

— Qu'est-ce que vous... voulez dire, au juste ?

L'Indien parla d'une voix douce, sans aucune amertume apparente alors que l'on évoquait le drame qui visait la terre de ses ancêtres.

— Les Brésiliens abattent la forêt pour la transformer en champs de soja, et nourrir les bœufs.

— Oui, je sais.

Il regarda longuement Jonathan, d'un regard tellement bienveillant que le silence devint vite embarrassant. L'Indien finit par reprendre, d'un ton toujours aussi calme, aussi bon :

— Vous savez à qui sont destinés ces bœufs ?

Il fallut quelques secondes à Jonathan pour comprendre. Et alors il se figea. Il avala sa salive. Sa main qui tenait le hamburger devint moite. Il se sentit rougir.

Il resta ainsi, quelques instants qui durèrent une éternité, face à cet homme digne et paradoxalement compatissant qui posait sur lui des yeux pleins de bonté.

## 20

Le monde est la résultante de nos actes individuels.

Se changer soi-même est la seule voie vers un monde meilleur.

Un monde meilleur où il fait bon vivre.

Cette idée tournait en boucle dans l'esprit de Jonathan. Agité au fond de son lit, il ne parvenait pas à trouver le sommeil.

La honte qu'il avait ressentie en présence de l'Indien, doublée d'un sentiment de culpabilité, l'avait amené à réaliser ce qui lui semblait maintenant une certitude.

C'est en commençant par se changer lui-même que Gandhi avait réussi à faire basculer l'histoire de l'Inde sans jamais participer au moindre gouvernement. On le représente toujours doté d'une assurance tranquille, vêtu de son humble dhoti de coton blanc et refusant tout titre honorifique. C'est oublier que dans sa jeunesse il était d'une timidité maladive emballée dans un costume trois-pièces qu'il portait dans l'espoir d'être reconnu des

Anglais. C'est bien son évolution intérieure, sa transformation en un homme serein, bon, juste, et dénué d'ego qui le rendit plus puissant que tout l'Empire britannique, son armée et ses institutions.

C'est aussi en vivant une véritable mue intérieure que Mandela avait fait basculer l'histoire de l'Afrique du Sud du fond de la cellule où il était enfermé. On oublie souvent qu'à l'origine, Mandela prônait la lutte armée, raison pour laquelle il avait été incarcéré. Mais, en prison, cet homme vécut une évolution personnelle admirable. Non seulement il devint un pacifiste non violent, mais encore il fut capable de pardonner à ses ennemis, ses geôliers qui l'avaient pourtant abusivement maintenu vingt-sept longues années en captivité. Et c'est bien parce qu'il fut lui-même capable de pardonner que le pays vécut relativement pacifiquement cet incroyable retournement de situation.

Jonathan finit par s'endormir et, cette nuit-là, il fit un drôle de rêve...

Il vole dans les nuages, puis s'élève au-dessus, planant sur la mer de coton blanc dans un ciel infiniment bleu.

Il survole la Russie, aperçoit Lénine et des révolutionnaires qui se réunissent dans les rues. Ils répètent avec beaucoup d'enthousiasme :

*Nous voulons un pays égalitaire.*

Des nuages passent, noirs. Quand ils s'écartent enfin, Jonathan aperçoit des millions de morts qui s'accumulent partout. Des nuages, encore, puis la nuit défile, à toute allure. Jonathan se sent en apesanteur, il tournoie lentement sur lui-même dans le ciel. Les nuages filent sous lui. Au-dessus, le ciel noir. Puis de nouveau la lumière apparaît à l'horizon, timide, blanche. En bas, les clochers dorés des églises de Saint-Pétersbourg pointent leurs flèches vers Jonathan. Autour, des immeubles modernes. Dans les rues, des voitures.

Lénine est assis au sommet d'un gratte-ciel. Il hausse les épaules. Il parle et, pourtant, Jonathan sait bien que c'est la voix de Margie.

*Tout ça pour aboutir au pays le plus inégalitaire au monde, aujourd'hui théâtre d'un capitalisme débridé.*

Un souffle de vent, très fort. Jonathan ne peut résister, il est déporté à vive allure vers l'est, malmené au milieu des nuages. Il survole maintenant la Chine et, là-bas, loin en dessous, il entrevoit Mao, un demi-sourire aux lèvres, qui annonce sa nouvelle politique économique :

*Le Grand Bond en avant va nous permettre d'accroître fortement la production agricole.*

Des nuages s'accumulent, très noirs. La voix de Margie émerge du néant :

*Dans les trois années qui suivirent, trente millions de personnes moururent de faim en Chine...*

Des éclairs fendent l'air et poignardent les ténèbres. Les nuages s'écartent.

Jonathan survole la France, reconnaît la Bourgogne qu'il a tant aimée dans son enfance. Des charrues sont attelées aux bœufs dans les prés vallonnés. Derrière une forêt apparaît Paris – les calèches, les fiacres, le cri des garçons cochers dans les rues étroites, fangeuses et puantes. Le soleil à l'horizontale, lumière mordorée sur les toits. Robespierre prend la parole au club des Jacobins. Sincère, idéaliste.

*Abolir les privilèges de la classe dirigeante...*

Et puis la guillotine, les têtes qui roulent, le sang qui coule, l'odeur âpre. Les rues se remplissent d'une masse rouge visqueuse qui se déverse dans les avenues. Tout Paris devient rouge. Place de la Concorde, Robespierre regarde le sang couler. Une berline précédée de motards passe devant lui. La mer de sang s'écarte devant les grosses motos. Robespierre applaudit. À l'intérieur, un homme répète en boucle d'un ton sincère :

*Je suis au service des citoyens.*

Les motos suivies de la berline remontent la rue Royale.

*Je suis au service des citoyens.*

Le cortège tourne à gauche et enfile le faubourg Saint-Honoré.

*Je suis au service des citoyens.*

Il passe sous le porche du palais de l'Élysée. L'homme descend de la berline.

*Je suis au service des citoyens.*

Un tapis rouge l'attend. Les gardes républicains en tunique noir et or, couvre-chef à plumet rouge, forment une haie d'honneur. L'homme parcourt toute la longueur du tapis, entre dans le palais, traverse ses salons aux boiseries dorées et aux tapisseries soyeuses, approche de l'escalier.

Les garçons d'étage se mettent aussitôt au garde-à-vous.

Un sommelier aux gants blancs s'incline en lui présentant des grands crus.

Un cuisinier fait une révérence en lui montrant un immense plat d'argent rempli des victuailles les plus fines.

L'homme monte l'escalier.

En haut, une cour de conseillers lui fait des courbettes.

Une actrice se déshabille et frotte son corps nu et moite sur sa bedaine proéminente.

Les valets lui ouvrent les portes et s'inclinent sur son passage.

Il s'arrête à l'entrée de son bureau. La lumière se reflète dans les innombrables dorures. Il se retourne, toise tous ces serviteurs, conseillers, gardes et cuisiniers, et constate :

*Les citoyens sont à mon service.*

À ce moment-là, sa tête se met à enfler, enfler, enfler. Elle se remplit d'air, elle gonfle comme une outre, se déforme, devient difforme, occupe la moitié de l'espace de l'immense bureau. Après quoi ses lèvres boursouflées s'ouvrent et se referment à l'infini comme celles d'un poisson obèse, et il se met à souffler du vent, du vent, encore du vent.

Un journaliste se précipite et présente devant l'orifice présidentiel un micro en plastique rose qui s'évase, à son extrémité, en un rond trempé dans de l'eau savonneuse, et alors apparaissent des bulles, des bulles, des bulles à l'infini.

Mais l'homme continue d'enfler, jusqu'à ce que soudain le gaz s'échappe de sa personne dans un sifflement continu. Alors il commence à se dégonfler comme un ballon de baudruche percé, et le gaz en s'expulsant bruyamment le propulse dans les airs aux quatre coins de la pièce avant qu'il ne soit expulsé par la fenêtre ouverte. Il survole en tourbillonnant la cour de l'Élysée, passe au-dessus du tapis rouge parcouru au même moment par un autre homme qui répète en boucle :

*Je suis au service des citoyens.*

Au même instant, de l'autre côté de la Seine, des dizaines de députés à tête enflée se dégonflent de concert et sont propulsés avec le même sifflement par les fenêtres de l'Assemblée nationale. Ils survolent bruyamment le quartier de Saint-Germain qu'ils remontent jusqu'au jardin du Luxembourg. Ils sont alors aspirés par les fenêtres du Sénat et retombent mollement, flasques comme des marionnettes en caoutchouc dégonflées, dans de somptueux fauteuils de velours pourpre où ils s'assoupissent instantanément dans un bruit de flatulence.

## 21

Gary passa la main dans sa barbe. Étonnant qu'elle soit encore noire avec toutes les emmerdes qu'il accumulait depuis la mort de sa femme.

— Moins fort, les enfants ! hurla-t-il à travers la lucarne de la cuisine aux mioches qui criaient dans la cour. Vous emmerdez tout le monde !

Les mômes étaient insupportables. Tout un été à passer dans la cour et ce bout de jardin grand comme un torchon de cuisine, c'était pas tenable. Pourquoi leur donnait-on autant de vacances ? Pour faire chier les parents, bien sûr ! Vivement qu'ils aient l'âge de bosser l'été, ça les occupera. Mais c'est pas demain la veille…

D'ailleurs, s'il n'avait pas les mioches à nourrir, il aurait arrêté son affaire depuis longtemps. Il aurait fait autre chose. Un truc peinard, tranquille, et surtout : sans clients. Les clients, c'est l'enfer. Ça sait pas ce que ça veut, c'est pas aimable, et c'est jamais content. Trop cuit, trop petit, trop sucré, trop chaud, pas assez cuit, trop grand, pas assez chaud, trop gras, pas assez sucré, trop cher… Et puis y en a qui sont toujours pressés, qui dégagent du stress à en bloquer la levée de la pâte à muffins. Ou alors c'est le contraire et ça vous raconte sa vie alors que sur l'enseigne, y a pas écrit psy ou curé.

Dehors, les mioches criaient de plus belle. Jamais son père à lui n'aurait toléré ça. Il se serait pris une branlée depuis longtemps. Il attrapa la pelle à tarte et cogna plusieurs coups sur le verre de la lucarne. Dehors, le calme revint.

Les gens sont pas serviables. L'autre jour, il n'arrivait pas à plier son store qui menaçait de s'envoler avec le vent. Il était là, seul à lutter contre le machin qui se barrait. Y avait des gens qui passaient sur le trottoir. Tu crois qu'ils auraient aidé ? Que dalle ! Chacun roule pour sa pomme, rien à foutre des autres.

La porte s'ouvrit sur une jeune femme bien sapée, du genre à dire « trop gras ».

— Bonjour, excusez-moi, vous auriez de la monnaie de vingt dollars ? C'est pour le parcmètre...

Gary la regarda et secoua la tête.

— J'ai pas.

C'est pas écrit banquier sur l'enseigne. Faut être ferme tout de suite sinon après ils abusent, ils défilent toute la journée et à la fin vous vous retrouvez comme un con avec que des billets dans la caisse.

Gary sortit du four une plaque couverte de muffins fumants et odorants.

— Dix secondes de plus, maugréa-t-il, et elle me faisait cramer la fournée.

Un homme d'une trentaine d'années entra dans le magasin. Souriant. Donc louche. Gary fronça les sourcils.

— Bonjour, lança le gars d'un ton enjoué comme s'il débarquait à une soirée entre amis.

Gary fit un signe de tête et attendit.

— Jack Murphy, dit l'autre en tendant une carte de visite.

Gary lança un coup d'œil oblique à la carte sans la prendre.

*Jack Murphy, représentant, The Chocolate Diamand Factory.*

— Qu'est-ce que vous me voulez ?

Le sourire du gars se figea, signe qu'il avait pt'être des choses à se reprocher.

— Rien, rien, se défendit-il en faisant un effort suspect pour garder son sourire. Je viens juste parler avec vous.

Gary le dévisagea, juste assez longtemps pour faire apparaître une expression sincère.

— J'suis pas sûr d'être d'humeur.

L'autre toussota en se forçant à rire, un peu déstabilisé. Les gens, faut les secouer un peu pour savoir ce qu'ils ont dans le bide. Allez, crache ta Valda.

— Ma société fabrique une gamme de pépites de chocolat à des tarifs très attractifs pour les professionnels, et je me demandais si...

— J'ai déjà ce qu'il faut.

— Mais...

— Non, c'est bon, j'ai besoin de rien.

— Vous ne voulez pas qu'on voie ensemble les économies qu'on pourrait vous faire réaliser ?

Gary soupira. Non, il ne voulait pas. Alors il regarda le gars en face, et ne dit plus un mot. Il le fixa, juste comme ça, sans rien dire. Sa tactique préférée. Silence. Quand vous faites une objection, les mecs, ils ont réponse à tout, prévu d'avance, appris par cœur. Alors le mieux, c'est le silence. Pas d'aspérité pour se raccrocher. Quand y a pas de grumeaux, ça glisse.

Le gars toussota encore, puis regarda sa montre.

— Bon, ben… je crois que je vais y aller.

C'est ça. Vas-y.

— Au revoir, dit le gars en partant.

Gary fit un bref signe de tête.

Dehors, les mômes se remirent à brailler.

À peine fermée, la porte s'ouvrit de nouveau et un client entra. Tête à « trop cuit ». Un deuxième le suivit dans la foulée. Tête connue. C'était le jeune assureur qui venait prendre son petit déj' de temps en temps.

Il avait essayé de lui vendre des assurances quelques mois plus tôt. « Pour rester à l'abri des problèmes », avait-il dit. À l'abri des problèmes. Comme si c'était possible. Soit il me prenait pour un niais, soit c'est lui qu'avait pas tout compris.

Les problèmes, quand t'en as tout le temps, t'appelles plus ça des problèmes. T'appelles ça la vie. C'est quand ça va bien que c'est louche. Et là, t'as une petite lumière rouge qui se met à clignoter dans ta tête, et tu te dis : Y a un problème.

## 22

6 3 ; 6-2 ; 5-3.

Austin au service face au blondinet suédois. Un jeu et il remporte le match et sa place en huitième de finale.

Il fit rebondir trois fois de suite la balle, regarda le court en face, puis de nouveau trois rebonds. Il lança la balle en l'air, arma son bras dans un mouvement large et... ressentit une vive douleur dans l'épaule.

Il laissa la balle retomber sans la toucher. Inquiet, il se palpa l'épaule de la main gauche, la tâta dans l'espoir de comprendre la douleur, mais elle avait disparu. Il remua lentement son épaule dans tous les sens, puis la massa légèrement. Non, rien. Un faux mouvement, rien de plus.

Il reprit une balle. Trois rebonds, un coup d'œil sur le court en face, trois rebonds. La balle s'élança, il arma son bras et frappa avec force.

La douleur lui déchira l'épaule.

Il s'immobilisa, et laissa la balle revenir vers lui, sans bouger.

0-15, dit l'arbitre.

Le public applaudit.

Tant pis. Perdre ce jeu, préserver l'épaule, puis voir le médecin avant de reprendre le jeu suivant.

Il servit le coup suivant à la cuillère, comme se l'autorisait parfois Michael Chang à la belle époque.

L'adversaire en fut tellement surpris qu'il ne rattrapa la balle qu'au dernier moment, après avoir couru presque jusqu'au filet. Austin fit un lob coupé et marqua le point.

15 A, dit l'arbitre.

Mais les services suivants, toujours à la cuillère, ne surprirent plus le Suédois. Il lui fallut moins de cinq minutes pour remporter le jeu.

Tandis qu'il regagnait sa chaise, les applaudissements rappelèrent à Austin que même à domicile, il n'avait pas la faveur des spectateurs. À force de le faire passer pour quelqu'un d'insensible, les commentateurs le coupaient du public.

Le médecin se précipita sur lui et l'ausculta. Le diagnostic tomba très vite : tendinite aiguë du sus-épineux. Il sortit immédiatement de sa sacoche une bombe de froid et pulvérisa le produit sur l'épaule endolorie. Austin sentit le gaz glacial se répandre sur sa peau qui se couvrit de cristaux blancs.

— Contracte ton bras, dit le médecin. Tu sens quoi ?

— Bof.

Les trois minutes réglementaires étaient presque écoulées. Il fallait reprendre. Mais pour quoi faire ? Austin ne parvenait pas à réaliser, à accepter ce qui était en train de se passer. Il n'allait quand même pas voir son rêve se briser, comme ça, bêtement. Le tournoi de sa vie, le record à battre, entrer dans l'histoire... Tout ça pour une tendinite… C'était pas vrai, il devait rêver ; c'était la nuit, il rêvait. Dites-moi que je rêve…

— *Time.*

Rassembler ses forces, se battre jusqu'au bout, comme il l'avait toujours fait. Ne pas fléchir. S'accrocher. Comme il savait si bien faire.

Il marcha jusqu'au fond du court. Le Suédois s'apprêtait à servir. Il y avait dans son attitude un changement infime qu'aucun spectateur ne devait percevoir, mais qu'Austin voyait dans ses yeux et un peu dans sa posture aussi. Quelque chose de subtil mais d'essentiel : le Suédois se mettait à croire en sa victoire. Cela se sentait, se voyait. Et Austin savait ce que ça signifiait. La plupart des joueurs étaient, sinon angoissés, du moins affaiblis rien qu'à l'idée d'affronter celui qui avait gagné tous ses matchs depuis onze mois d'affilée. Quand un joueur était face à lui, là, sur le court, Austin voyait dans ses yeux qu'il ne croyait pas *vraiment* en sa victoire, alors que lui, Austin, n'en doutait jamais un seul instant.

Le gamin en face envoya deux balles à son adversaire.

Pour la première fois depuis des années, ce rapport pouvait s'inverser. Austin craignait que sa douleur revienne et le gêne. Cette crainte et le léger doute qu'elle instillait dans son esprit étaient en soi problématiques. Austin savait trop par expérience que la confiance d'un joueur jumelée au doute de l'autre rendait le match superflu, tant l'issue était jouée d'avance.

À cet instant, le cri raté d'un spectateur s'étouffa dans un son rauque qui déclencha quelques rires, et Austin tourna brièvement la tête vers les gradins, ce qui ne lui arrivait d'habitude jamais tant il était concentré. Et de façon totalement inattendue, son regard croisa celui de la journaliste qui l'avait interviewé dernièrement, le qualifiant de froid et indifférent aux autres. Et ce qu'il vit dans son regard le blessa profondément : elle souriait. Elle souriait de le voir mal en point. Celle qui l'avait accusé de ne rien ressentir s'amusait maintenant de la douleur... qu'il ressentait.

Cette attitude injuste choqua Austin, le révolta. Un sentiment de colère monta en lui. Une colère sourde, méchante, puissante, qui gagna tout son corps, emplit ses poumons d'un air de revanche. Il sentit les muscles de son bras se tendre, sa force se décupler, s'emparer de lui, le porter.

Il posa le regard sur son adversaire et vit dans ses yeux qu'il avait perçu le changement. Il l'avait perçu et il savait.

Il savait qu'il n'avait plus aucune chance.

## 23

Salut Jonathan,

Ce petit e-mail pour te dire que j'ai réfléchi suite à notre dernière entrevue à la terrasse du café. Tu connais ma franchise et je n'irai pas par quatre chemins : il me semble évident que tu préfères ne pas reprendre le travail. Je t'ai trouvé particulièrement en forme, positif, de bonne humeur, beaucoup plus que lorsque tu travaillais au cabinet. Peut-être que ce métier n'est pas fait pour toi, après tout, et qu'il vaut mieux que tu changes.

Ce serait aussi une bonne façon de résoudre le problème avec Angela. Tu avoueras que c'est pas super sain de continuer de vous voir au quotidien.

Si t'es d'accord avec moi, mieux vaut l'acter tout de suite plutôt que de faire traîner une situation qui n'est satisfaisante pour personne.

Alors voilà : j'avais déjà évoqué l'idée de racheter tes parts. C'était une idée lancée en l'air comme ça, et ça me semble mieux de te l'écrire, et surtout d'être précis sur les conditions que je te propose.

*Je me suis renseigné : en tenant compte du chiffre d'affaires du cabinet, du taux de marge, des bénéfices, et aussi de sa situation encore fragile, sa valeur n'excède pas 450 000 dollars. Tu détiens un tiers des parts. Je suis donc prêt à t'offrir 150 000 dollars, ce qui représente une coquette somme. On trouve pas ça sous un paillasson.*

*Ça me semble la meilleure solution pour tous, surtout pour toi et pour Angela.*

*Voilà, réfléchis et donne-moi ta réponse rapidement. Il faudra un peu de temps à l'avocat pour faire toutes les paperasses.*

*Ciao bello,*

*Michael.*

Jonathan éteignit l'écran de son portable et le rangea dans sa poche. C'est vrai que Michael lui avait déjà fait cette proposition, mais la voir écrite, et avec des chiffres, ça faisait bizarre. Comme si ça actait la chose, rendait cette perspective plus réelle. Jonathan en avait un pincement au cœur. Il y avait certes un certain nombre de choses qui lui déplaisaient dans son métier, mais cette offre ferme l'amenait à réaliser qu'il n'était pas encore prêt à tout laisser tomber. Ce cabinet, il l'avait créé de toutes pièces avec ses associés. C'était un peu son bébé à lui aussi. Alors oui, Angela et lui s'étaient séparés et ça posait problème, c'est vrai, mais Angela avait déjà gardé leur enfant, le vrai, il n'allait pas abandonner celui-là.

Jonathan poussa la porte de chez Gary's. Une odeur de café fraîchement torréfié mêlée à celle de donuts chauds l'accueillit.

— Bonjour, dit Jonathan.

Gary grommela quelque chose d'inintelligible en guise de réponse.

— Un muffin nature et un autre aux raisins secs, s'il vous plaît.

— Sur place ?

— À emporter.

— Deux dollars trente-cinq, dit Gary en emballant les muffins dans des sachets de papier blanc.

Jonathan lui tendit un billet de dix. À cet instant, le téléphone se mit à sonner et Gary décrocha, tout en rendant la monnaie.

— Qu'est-ce que c'est ? demanda-t-il avec sa voix des mauvais jours. Hein ? Quoi ?

Il posa dix-sept dollars soixante-cinq sur le comptoir.

— J'ai besoin de rien, râla-t-il. Non, rien.

Il raccrocha en maugréant dans sa barbe. Jonathan empocha la monnaie en réprimant un sourire de satisfaction. Pour une fois qu'on se trompait en sa faveur, c'était son jour de chance.

— Bonne journée, dit-il en tournant les talons.

— B'journée, marmonna l'autre.

Jonathan marcha vers la porte, mais la satisfaction qu'il venait de ressentir se doublait soudain d'un sentiment bizarre. Un sentiment étrange, nouveau pour lui. Il s'arrêta et, sans prendre le temps de vraiment réfléchir, obéissant à une sorte d'instinct, fit demi-tour.

— Y a un problème ? fit Gary en fronçant les sourcils.

— Vous m'avez rendu dix dollars de trop.

Jonathan posa le billet sur le comptoir. L'autre le prit sans rien dire et le rangea dans la caisse.

Jonathan retraversa le café et sortit dans la rue. Il prit une profonde inspiration d'air frais. Il se sentait soudain extrêmement bien, léger, fier de lui. Le sentiment simple et finalement merveilleux de se savoir quelqu'un de bien. Un sentiment profondément réjouissant.

Le ciel lui sembla particulièrement bleu, le soleil éclatant. Une passante lui sourit en le croisant.

Il marcha jusqu'à la terrasse du café et s'installa parmi les clients, assez nombreux. Il y avait quelques habitués aux têtes familières, des passants et des touristes. À l'autre bout de la terrasse, une femme seule regardait fixement devant elle, le regard morne.

Il commanda un grand café.

À côté de lui, des jeunes riaient entre eux. Un peu plus loin, la femme seule avait un air déprimé. Le contraste entre l'humeur apparente de cette inconnue et la sienne était criant, perturbant.

Il détourna son regard et mit son attention sur les rires des jeunes à côté. Leur joyeuse insouciance faisait plaisir à voir. Il émanait de chacun d'eux quelque chose de positif, léger, enthousiasmant.

On lui servit son café fumant. Il grignota l'un de ses muffins en attendant qu'il refroidisse. Trop bon. Comment un homme aussi désagréable que Gary pouvait-il faire des muffins aussi bons ?

Les jeunes d'à côté continuaient leurs joyeuses conversations, et Jonathan avait plaisir à ressentir leur bonne humeur.

Mais au bout d'un moment, il ne put s'empêcher de regarder de nouveau vers la femme seule. Il ne réussissait pas à faire abstraction de sa présence. Elle affichait toujours le même air sombre.

Jonathan l'observa un long moment, puis, soudain, une idée lui vint et il fit signe à la serveuse. Elle s'approcha, avec ses drôles de baskets blanches montantes lacées de rouge, et il lui parla à voix basse. La serveuse dut se pencher vers lui pour l'entendre.

— Vous voyez la femme assise là-bas, au coin de la terrasse ?

— Qui ça ? La brune avec des cheveux mi-longs ?

La serveuse avait un accent texan à couper au couteau.

— Oui. Vous allez lui servir un café et lui dire que c'est offert par quelqu'un qui souhaite rester anonyme. Et vous le mettez sur ma note.

— Ouh là là, mais j'sais pas si j'ai le droit...

— Tout le monde a le droit de faire quelque chose de bien, dit-il d'un ton ferme.

Elle obtempéra et Jonathan se demanda si c'étaient ses propos ou son assurance qui l'avaient convaincue. Il la vit quelques minutes plus tard se diriger vers la femme brune et déposer le café sur sa table. L'autre secoua la tête et toutes deux échangèrent quelques mots. À un moment, la femme regarda autour d'elle. Jonathan mordit dans son muffin en matant son café. Il aperçut dans son champ de vision les baskets rouge et blanc qui revenaient et passaient près de lui.

Il attendit une bonne minute et but une gorgée, histoire de lever la tête en glissant un coup d'œil dans la bonne direction.

La femme avait repris sa posture, mais, cette fois, un léger sourire s'était invité sur ses lèvres, et une petite lueur brillait maintenant dans ses yeux.

Jonathan retrouva ce sentiment si fort qu'il avait ressenti en sortant de chez Gary's. Un sentiment tellement réjouissant qu'il aurait donné n'importe quoi pour pouvoir rester en permanence dans cet état.

Il se souvenait maintenant d'avoir régulièrement éprouvé une émotion très proche, des années auparavant. C'était au début de sa carrière, quand il avait commencé à exercer son métier d'assureur. Il fournissait aux gens de quoi se protéger des coups durs de l'existence, de quoi se mettre à l'abri et, grâce à cela, vivre sereinement. Il se souvenait maintenant de la joie que ce rôle lui procurait. Au commencement. Au commencement seulement. Après, la joie s'était progressivement atténuée, jusqu'à s'effacer complètement, au fur et à mesure que l'engrenage des exigences professionnelles, de la compétition avec Michael et de ses besoins personnels croissants l'avait amené à déplacer le curseur de son influence du côté de son intérêt à lui.

Lentement, il s'était sans s'en rendre compte laissé corrompre par toutes ces choses, jusqu'à travailler surtout pour les résultats, et non plus pour accomplir la mission qui l'avait porté dans cette voie. Des choses qui avaient progressivement accaparé son attention, devenant sa source de motivation. Comme une voiture équipée d'un second moteur qui, peu à peu, prendrait la place du premier et entraînerait le véhicule dans une voie de garage.

En se comportant ainsi, il s'était perdu, finalement, en s'éloignant des sentiments les plus purs et les plus simples issus de la joie d'agir selon ses valeurs en écoutant son cœur.

— Besoin d'autre chose ? demanda la serveuse tout en déposant la deuxième note sur la table.

Jonathan leva les yeux vers elle et sourit.

— Rien de plus, merci.

Il la regarda s'éloigner, la carte sous le bras.

Le temps qui lui restait à vivre, il savait désormais comment il voulait le vivre. Il savait quel sentiment il voulait ressentir, et il savait comment l'obtenir.

# 24

Raymond poussa la porte du Stella's, et s'assit au bar.
On lui servit sa bière sans qu'il ait à la commander.
Un privilège qu'il appréciait chaque fois, non sans une
pointe de fierté.

Les cheveux blond-gris en bataille maintenus en place
par une casquette rouge qui accentuait un teint déjà
rougeoyant, Raymond était le plus ancien cameraman
accrédité de Flushing Meadow. Quarante et un ans de
services. Bon, pas tout à fait car il avait commencé comme
perchman. Mais c'était comme ça, à l'époque : trois ans
de perche pour comprendre le métier, observer le cameraman, voir comment il s'y prend, comment il fait pour se
faire oublier quand l'interviewé est impressionné et tout
et tout. Et puis ça faisait les bras. Parce que ça a l'air
de rien : c'est pas lourd, une perche, mais quand vous
la tenez comme ça, à bout de bras, pendant un quart
d'heure sans bouger, ben ça chauffe les biceps plus que
la gonflette que les jeunes d'aujourd'hui font en salle
de sport pour se donner un torse de rappeur. Et il en

fallait, des bras, pour se préparer au métier. Parce que les caméras, à l'époque, ça pesait plus qu'un tonneau de bière.

— Salut Ray, ça va ?

— Ça roule.

Roger Federer passa, entouré de son coach et de deux attachées de presse.

Rien ne faisait plus plaisir à Raymond qu'un joueur qui l'appelle par son prénom. C'était la reconnaissance de son expérience, de son rôle. Parce qu'il se mettait en quatre pour les joueurs, lui, pour les prendre sous le meilleur angle, sous leur meilleur jour, gommer les défauts, capter la plus belle lumière, saisir l'expression qui les rend beaux, humains, forts. C'est tout un art, et beaucoup lui en étaient reconnaissants, même s'ils ne réalisaient jamais vraiment tout ce qu'il faisait pour eux.

Il n'était pas comme ces jeunes cameramen qui sortent de l'école. On leur bourre le crâne avec tout plein de théories fumeuses, mais on leur apprend pas le métier. Résultat : ils ont jamais touché une caméra, mais ils commencent à peine qu'ils se prennent déjà pour Stanley Kubrick.

Raymond retira sa casquette pour se gratter le crâne puis la remit en place. Sa casquette rouge, c'était sa fierté. Depuis trente et un ans qu'il la portait, il ne l'avait jamais quittée. Et pour cause, on quitte pas une casquette offerte par Jimmy Connors en personne. Oui, Jimmy Connors *himself*. Il avait gagné un match et Raymond filmait l'interview qui suivait. Connors était de super humeur, il répondait aux questions en plaisantant, et après, tout d'un coup, il a retiré sa casquette et l'a vissée sur la tête de Raymond, comme ça, sans prévenir. Et il est parti dans les vestiaires. Raymond en avait pleuré de joie.

Il but une gorgée de bière. Tous ces moments de complicité vécus dans les coulisses des tournois… Il n'aurait pas voulu une autre carrière, pour rien au monde. Il aimait tellement son métier, tout comme il aimait les joueurs, les journalistes, le staff. Même les gamins ramasseurs de balles dont il voyait l'émotion au contact des stars des courts.

Soudain, Warren, le coach d'Austin Fisher, entra, fit un bref signe de tête en passant devant l'ancien entraîneur de Federer, et s'installa au bar un peu plus loin, debout. Il commanda un café.

C'était un type plutôt froid, Warren, la cinquantaine, un peu mystérieux, avec des yeux aussi sombres que ses cheveux bien coupés, et Raymond le sentait pas trop. Mais bon, chacun sa personnalité.

Le Stella's était le repère des joueurs, du staff et des journalistes. Le lieu où chacun se détend parce qu'on n'enregistre pas, au Stella's. Question d'usage. Rien que du off. Et pas de public non plus. Que les pros.

Chuck Vins, journaliste d'une chaîne concurrente, entra avec son assistante, une jolie blonde avec une bouche rebondie comme un petit cœur. Il n'avait pas fait trois pas que Warren lui fit un signe de la main. Chuck s'approcha.

— Austin est très mécontent de votre dernière interview, lui dit Warren sur un ton glacial. Et moi aussi : vous y êtes allé trop fort avec lui. Vous pourriez quand même le valoriser un peu plus. C'est le premier joueur mondial, Chuck. Faites un effort.

Chuck Vins lui adressa un petit sourire forcé et passa son chemin sans répondre, la tête haute.

Raymond n'en revenait pas. Comment un coach professionnel pouvait-il s'y prendre aussi mal avec un journaliste ? Faire des reproches comme ça, c'est quasi suicidaire, ça.

Il regarda le coach quelques instants, qui continuait de boire son café comme si de rien n'était. Il ne se rendait pas compte, à l'évidence. Il réalisait pas. Il fallait lui dire, pas le laisser dans l'erreur. Parce que c'est Austin qu'allait en pâtir, c'est sûr. Les journalistes, ils aiment pas qu'on leur dise ce qu'ils doivent dire. Le Chuck, il allait le montrer à la prochaine interview : elle serait encore plus *hard* que la précédente. Ça, c'est sûr. Pauvre Austin... Lui qui était déjà tellement mal à l'aise avec la presse.

Il fallait l'aider.

Raymond attendit le moment propice, quand Warren tourna la tête de son côté. Alors, il se jeta à l'eau.

— Ça me regarde pas, mais ce que vous avez dit au journaliste, c'est le meilleur moyen de se le mettre à dos. Vrai. Ces gars-là, ils sont aussi attachés à leur liberté que moi à ma caméra. Si vous croyez que vous allez réussir à leur faire lâcher prise, ça me regarde pas mais ça va avoir l'effet inverse. Moi, je dis ça pour vous, hein, et pour Austin surtout...

Warren l'écouta sans manifester la moindre émotion.

— Vous avez raison, dit-il. Cela ne vous regarde pas.

## 25

Jonathan balaya des yeux le menu. Cela faisait long-temps qu'il n'avait pas déjeuné avec ses associés.

Par moments, Michael lançait dans sa direction un regard un peu inhabituel. On sentait qu'il observait son attitude. Sans doute guettait-il sa réaction suite à l'envoi de l'e-mail.

— Vous avez des plats bio ? demanda Jonathan au serveur.

— Non, désolé.

— Bon, alors je prendrai... euh... l'assortiment de légumes.

— Un filet de panga, dit Angela.

— Un steak, dit Michael.

— La cuisson ?

— Saignant.

Le garçon s'éloigna.

— Ne me dis pas que tu t'es mis au bio ! dit Michael.

— Si.

— Pour tous les jours ?

Jonathan acquiesça.

— Vraiment ? dit Michael à moitié mort de rire. Mais t'as vu les prix ? C'est l'arnaque du siècle !

— Ça me coûtera pas plus cher si je m'adresse à une association de petits paysans qui vendent directement leur production. Et comme c'est local, il y a moins de transport, donc ça pollue moins.

Michael leva les yeux au ciel.

— Mais pourquoi diable veux-tu manger bio ?

Jonathan hésita. À quoi bon répondre ? On ne lutte pas contre les préjugés…

D'ailleurs, Michael enchaîna sans attendre la réponse.

— Les petits paysans, c'est bien joli, ça, mais t'auras pas tout. Ils te donneront que des fruits et légumes, et même pas à toutes les saisons. Et t'auras pas de viande : tu crois qu'ils vont venir comme ça à ton association avec leurs veaux et leurs agneaux ? C'est réglementé tout ça, t'as des abattoirs officiels, des contrôles véto, des réseaux de distrib.

— De toute façon, j'ai arrêté le veau et l'agneau.

Un silence de surprise.

— Pourquoi ?

— J'ai décidé de ne plus manger les enfants.

Angela manqua de s'étrangler en buvant son apéritif. Michael se mit à rire.

— Et le bœuf ?

— J'ai aussi décidé de manger beaucoup moins de bœuf pour sauvegarder la forêt amazonienne. Alors ça compense le prix plus élevé du bio dans le commerce.

— Mais qu'est-ce qui te prend ?

Jonathan but une gorgée à son tour.

— Disons que je me suis rappelé les paroles de Bossuet.

— Bossuet ?

— Un écrivain bourguignon du XVII$^e$. Tu sais que j'ai passé mon enfance en Bourgogne...

— Et qu'est-ce qu'il disait ton Bourguignon ?

— « Dieu se rit des hommes qui déplorent les effets dont ils chérissent les causes. »

— Putain, c'est profond.

— En fait... j'ai décidé de moins râler contre les maux de la société, mais de prendre juste ma part de responsabilité. J'ai réalisé que c'était plus important pour moi d'être OK avec moi-même que de donner des leçons aux autres.

— Et alors comme ça, tu vas manger bio...

— Oui, notamment... je ne veux plus continuer de fermer les yeux sur la réalité. C'est peut-être normal de manger les animaux, mais j'aimerais qu'ils aient eu une vie d'abord. Une vraie vie, à l'extérieur, avec un minimum de liberté. Et puis j'en ai marre de bouffer des hormones, des antibiotiques, des pesticides, des OGM... Je veux me nourrir d'aliments, pas de chimie.

Depuis quelques minutes, ses deux associés le regardaient comme s'il venait de leur annoncer qu'il était transsexuel et que son vrai nom était Rosanna ou Pamela.

— Je veux mourir de ma belle mort, pas de ces cochonneries qu'on m'impose, ajouta Jonathan.

Les autres posaient sur lui des yeux incrédules.

— Tu crois, dit Angela, que tu vivras plus longtemps si tu te passes de... toutes ces choses que t'aimais avant ?

— Je ne sais pas s'il vivra plus longtemps, coupa Michael. Mais ce qui est sûr, c'est que la vie va lui sembler bien longue !

Et il partit dans un rire qui n'en finit plus.

— Remarque, dit Angela, il n'a peut-être pas tout à fait tort, après tout.

Jonathan leva les yeux vers elle. C'était la première fois depuis leur séparation qu'elle soutenait l'un de ses propos.

Il se remémora soudainement les paroles de Margie. Chaque fois qu'il la voyait, elle lui conseillait de parler à Angela. Mais en aurait-il seulement le courage ?

On leur apporta les plats. Michael se jeta sur le sien. Jonathan attendit un instant.

— J'ai décidé de reprendre le travail, dit-il soudain.

La fourchette en main, Michael s'apprêtait à enfourner un morceau de viande. Il s'arrêta net, la bouche ouverte.

Peut-être avait-il changé d'avis sur le bœuf ?

# 26

— Monsieur Jonathan Cole !

— Bonjour monsieur Chatterjee. Comment allez-vous ?

— Pas mal, pas mal. Ça faisait longtemps que je vous avais pas vu, dites donc.

M. Chatterjee tenait un commerce de quincaillerie de centre-ville. Une belle surface dans un espace biscornu, au rez-de-chaussée d'un vieil immeuble à moitié insalubre. Des articles de toutes sortes et de toutes les couleurs stockés en pagaille sans logique apparente. On en trouvait dans tous les recoins, suspendus en hauteur, sur les murs, ou posés dans des racks surchargés montant jusqu'au plafond et formant des allées étroites dans lesquelles il fallait presque se faufiler pour passer. Une vague odeur d'encens flottait dans l'air, seul signe des origines pakistanaises du propriétaire.

— J'ai repris tous vos contrats et j'ai fait le point.

— Laissez-moi deviner : vous en avez un de plus à me vendre.

Jonathan se mit à rire.

— C'est presque le contraire. Je me suis rendu compte que certains de vos contrats recouvraient plusieurs fois le même risque. Bref, vous payez plusieurs fois pour la même protection. Alors j'ai tout remis au carré et vous allez économiser quatre-vingt-neuf dollars par mois.

— Bonne nouvelle !

— Oui, je me suis dit aussi que ça vous ferait plaisir.

— Et... il y a autre chose ?

— Comment ça ?

— Vous avez quelque chose d'autre à me vendre ?

— Non.

— Vous n'êtes pas venu seulement... pour me dire ça, j'imagine.

— Euh... eh bien, si. J'ai vérifié, je vous dis : maintenant, tout me semble carré.

M. Chatterjee le regarda, interloqué.

— Bon... Je vous offre une tasse de *masala chaï* ?

Le reste de la semaine se passa à merveille. Jonathan avait retrouvé le plaisir de travailler qu'il avait au début de sa carrière. Il visitait ses clients, réajustait leurs contrats en fonction de leurs vrais besoins, et leur conseillait de nouvelles protections quand c'était utile. Il se sentait porté par un élan nouveau, une énergie retrouvée. Son travail avait de nouveau un sens pour lui. Sa mission, son rôle l'épanouissaient.

Quand arriva le vendredi, il se retrouva seul à la terrasse du café avec Angela. Un peu plus loin sur le même trottoir, un vieux saxophoniste égrenait des standards de jazz avec un manque de conviction désarmant, une casquette retournée devant lui sur le sol.

— Michael n'a pas pu venir, dit-elle. Une urgence en clientèle, il vient de m'envoyer un texto.

Ils commandèrent leur café. Jonathan se sentait presque timide de se retrouver seul avec elle. Il n'en avait plus l'habitude et ressentait un mélange d'émotions contradictoires allant de la gêne à une sorte de joie confuse. Elle avait l'air moins troublée que lui. À moins qu'elle ne cachât habilement son désarroi.

La voix de Margie ne le quittait pas, l'exhortant à parler à Angela, à lui dire ce qu'il avait sur le cœur. *Confie-lui tes sentiments.* Mais plus il entendait ses conseils, plus il se figeait dans une retenue protectrice.

Le saxophoniste émit un couac suraigu et continua sans s'interrompre.

Angela meublait la conversation, mais Jonathan avait l'impression qu'elle évitait son regard. Elle relata les nouvelles du cabinet et ce qui était arrivé pendant son absence, puis, quand le sujet fut épuisé, elle commenta l'actualité sous le prisme de son regard biaisé d'un humour corrosif, cet humour qu'il affectionnait tant. Par moments, il l'écoutait sans vraiment se concentrer sur ses propos, appréciant juste la conversation en tant que telle, se complaisant dans un semblant de relation retrouvée, s'abandonnant à une illusion volontaire.

Et puis à un moment, quelque chose lui parut basculer : il lui sembla percevoir un plaisir similaire chez Angela, il lui sembla qu'elle aussi appréciait de partager ce moment, seule avec lui. C'était à peine perceptible, à peine une légère lumière dans le regard, une esquisse de sourire sur les lèvres. Alors la voix de Margie devint plus pressante, insistante, jusqu'à devenir irrésistible. C'était le moment ou jamais

Il ne la quittait pas des yeux, sentant monter en lui une confiance nouvelle, le courage qui lui manquait jusque-là. Angela continuait de parler, avec maintenant un vrai sourire sur les lèvres. Il ne rêvait pas : elle souriait, vraiment, et de plus en plus souvent ses yeux se posaient sur lui.

— Angela…

Elle ne l'entendit pas. Elle continuait de parler avec ce sourire délicieux qu'il adorait. Vibrant au son mélodieux de Charlie Parker, le saxophone paraissait avoir trouvé l'harmonie qui lui convenait.

— Angela…

Elle leva les yeux sur lui, se tut et le regarda. Un regard doux qui semblait attendre quelque chose. Un regard qui l'encourageait à parler. Il aurait aimé faire durer cet instant, préserver son intensité, conserver à jamais le regard d'Angela dans ses yeux à lui.

— Angela… Je voulais te dire… C'est toi qui avais raison… autrefois… quand tu me reprochais de trop peu m'investir dans la famille… l'éducation de Chloé… tout ça… Je l'ai compris récemment… et… je voulais te le dire…

Elle ne répondit pas, continuant de le fixer en silence. Il reprit :

— J'ai réalisé aussi qu'à l'époque je ne savais peut-être pas te montrer, ou… te dire… que je t'aimais. C'est bête mais je pensais que tu le savais, que t'avais pas besoin de l'entendre.

Elle ne réagit pas, mais l'écouta sans rien dire.

— Je voudrais aussi que… tu saches, dit-il, que mes sentiments pour toi sont… intacts. Et… je me dis qu'on ne peut pas laisser un malentendu détruire une relation…

une relation qui a toujours beaucoup de valeur à mes yeux…

Il se tut. Angela ne le quittait pas des yeux, mais son sourire s'était retiré, son regard était devenu plus neutre, plus froid, et son visage, plus fermé. Elle le fixa ainsi en silence pendant un long moment, sans rien dire, sans réagir. Puis elle toussota pour éclaircir sa voix.

— Il faut que j'y aille.

Elle se leva, rangea son téléphone portable dans son sac à main qu'elle mit sur l'épaule, puis disparut dans le petit flot de piétons en route vers le travail.

Jonathan, désemparé, laissa son regard se perdre sur la foule de ces passants anonymes qui avançaient d'un pas soutenu vers leurs tâches quotidiennes.

Il se sentait tout d'un coup vide, vide d'énergie, vide de pensées. Vide d'espoir. Le son sans âme du saxophone résonnait dans sa tête. Le flot continu de passants effleurait ses yeux sans pour autant capter leur attention, comme de l'eau qui coule sur des feuilles sans parvenir à les mouiller.

Un long moment s'écoula ainsi, et Jonathan ne sortit de sa torpeur que lorsque la serveuse posa la note sur la table.

Il sortit machinalement son portefeuille et régla l'addition.

Puis il finit par prendre son téléphone, appela et attendit, les sonneries se superposant aux notes du saxophone.

— Michael, c'est moi, Jonathan.

Il prit son inspiration avant de poursuivre.

— J'ai bien réfléchi. Finalement, j'accepte ton offre. Préviens l'avocat, qu'il fasse les papiers. Le plus tôt sera le mieux.

## 27

« Et Austin Fisher vient de gagner brillamment sa place en demi-finale en remportant ce match face à l'Australien Gay Harisson. Sa blessure semble n'être qu'un mauvais souvenir, même si un bandage recouvre encore son épaule. Je vous rappelle le score : 6-4 ; 7-5 ; 6-4. Le public semble un peu déçu, un public dont le sympathique Australien avait réussi à conquérir le cœur et... »

Michael coupa la télé, satisfait. Une deuxième bonne raison de sabler le champagne ! La décision de Jonathan lui donnait des ailes. Une fois le rachat des parts effectué, il détiendrait les deux tiers de la boîte, qu'il revendrait dans la foulée au repreneur pour la petite fortune qu'il offrait. Et le tour était joué. À lui les vacances, le bon temps, le farniente au soleil, les jolies filles...

Cela lui donna une idée. Il décrocha son téléphone.

— Samantha ? C'est Michael. Je veux te voir ce soir.

— Pour quoi faire ? Je ne suis pas libre.

— Pour faire la fête, enfin ! Pourquoi t'es pas libre ?

Un silence.

— Devine.

— C'est pas un problème : annule !

— Je tiens mes engagements, question de réputation. Ma clientèle est exigeante.

Michael rigola.

— Je mets le double.

*
* *

Jonathan regarda par la fenêtre ouverte de sa salle de bains, tout en se rasant. Dans le jardin d'en face, on entendait jouer les enfants de Gary. Au bout d'un moment, le père sortit.

— Qu'est-ce que vous faites encore comme conneries ? cria-t-il.

— Mais papa... on fait pas de bêtises, on joue ! Viens voir ce qu'on arrive à faire !

— Mais ça va pas, non ? Vous croyez que j'ai que ça à foutre ? Et vous avez intérêt à vous tenir à carreau ! Je veux plus vous entendre, c'est compris ?

Les gamins acquiescèrent, l'air totalement dépité. Il disparut, sans se rendre compte de leur mine désemparée. Le décès de leur mère devait être déjà cruel pour eux. Avec la disposition d'esprit de leur père, ils n'étaient pas près de recevoir un peu de tendresse...

Il pensa à Chloé, puis à Angela.

Michael avait eu raison depuis le début. La cohabitation était malsaine. Il aurait dû tourner la page depuis longtemps, passer à autre chose. Cela l'aurait aidé à oublier Angela, ça lui aurait permis de reconstruire quelque chose d'autre.

Mais il le savait : il ne sert à rien de regretter des choix passés. La vie est ainsi, elle est jalonnée d'erreurs, et sans doute ces erreurs ont-elles leur raison d'être, sans doute nous apportent-elles quelque chose malgré tout. *Accepter.* La philosophie de Margie finissait par passer... L'acceptation est un art de vivre.

Bien sûr, c'était dommage d'arrêter son travail au moment où celui-ci retrouvait un sens à ses yeux, mais, là encore, il voulait rester confiant. La vie est trop courte pour se lamenter sur nos déceptions, il en était conscient mieux que personne. L'existence est un mouvement perpétuel, tout change à chaque instant, et la résistance à ce changement ne peut mener qu'au malheur. C'est la confiance en la vie qui permet d'avancer, de rebondir, et finalement d'apprécier ce qui arrive. Il ne savait pas encore ce qu'il ferait par la suite, mais il avait encore du temps devant lui. Les paperasses prendraient de longues semaines, et il avait décidé de poursuivre sa mission jusqu'au dernier jour, en conservant tant que possible l'élan qui l'animait depuis quelque temps et en exerçant son métier comme il l'entendait dorénavant.

Il passa acheter deux muffins chez Gary's puis s'installa à la terrasse du café et les dégusta avec un grand bol de thé.

Sur l'écran mural que Jonathan voyait de biais à l'intérieur, une psy expliquait que les gens souffraient parfois du manque de démonstration affective de leurs lointains aïeux, qu'ils n'avaient pourtant jamais connus. Quand un enfant manque fortement d'affection et ne se sent pas aimé, il arrive qu'il se coupe de ses propres émotions dans une sorte de protection inconsciente. Jonathan ne put s'empêcher de penser à Gary. Une fois adulte, disait la psy, il peut alors devenir lui-même très froid envers ses propres enfants, et c'est ainsi que cette souffrance peut se répercuter sur plusieurs générations...

— Y en a marre de ces conneries ! dit un client debout derrière le bar. T'as pas une autre chaîne ?

Le barman zappa et le visage décidé d'Austin Fisher envahit l'écran. Jonathan sourit en voyant son ancienne idole, qui lui rappelait sa compétition passée avec Michael. Il ne serait jamais aussi bon commercial que lui, c'était désormais une certitude. Et c'était OK, car maintenant il savait que ce n'était pas sa mission.

Quelques minutes plus tard, il repéra sur la terrasse un petit vieux qui avait l'air totalement déprimé. Il l'observa quelques instants, puis fit un signe discret à la serveuse.

## 28

Raymond posa sa caméra sur la chaise puis remua doucement, pour se détendre, l'épaule qui l'avait portée. Il venait de filmer l'arrivée au vestiaire d'Austin Fisher, juste avant le quart de finale. Un sacré type, ce Fisher. Même blessé, il continuait de gagner, alors que le bruit courait qu'il souffrait comme une bête. Par cette chaleur, en plus...

Les cameramen se bousculaient dans la salle sombre et mal ventilée, parcourue en tous sens par un enchevêtrement de câbles.

Raymond décapsula une bière, s'épongea le front d'un revers de manche et vida d'un trait la moitié de la canette.

Il aperçut Warren passer et détourna le regard. Pas envie de saluer un type aussi peu aimable. Et ingrat, en plus.

— Attendez une seconde !

Une jeune femme très souriante qu'il ne connaissait pas interpellait Warren alors qu'il s'apprêtait à passer la porte du vestiaire. Sans doute une nouvelle recrue.

Le coach se retourna.

— Clara Spencer de CNN, lui dit-elle d'un ton très enjoué. Je m'autoproclame présidente du fan-club d'Austin !

Warren la toisa froidement sans rien dire.

— Je veux absolument interviewer Austin une minute pour recueillir son état d'esprit avant le match. Juste une minute.

Warren lui adressa un regard glacial.

— C'est hors de question.

— Mais…

— Surtout pas avant le match, dit-il en s'en allant.

— OK, alors je vous retrouve juste après la rencontre et…

— On verra plus tard.

Et il disparut dans le vestiaire.

Raymond n'en revenait pas. Comment un coach pouvait-il traiter ainsi une journaliste, surtout une qui se disait fan de son joueur ? À peine croyable. Surtout que d'habitude, les journalistes n'étaient pas tendres avec Austin. Pour une fois qu'il y en avait une qui lui voulait du bien… C'est pas normal, ça. Ça me regarde pas mais, là, il rend pas service à Austin, c'est sûr.

*

*  *

Michael reposa sur son bureau le rapport du cabinet comptable avec les comptes prévisionnels du mois écoulé. Dégoûté, il se rejeta en arrière dans son fauteuil.

Par la fenêtre entrouverte, on entendait le flot du trafic de l'avenue, les bruits de moteurs, de klaxons, de freins, et le bip-bip des sémaphores pour les non-voyants.

206

Ébloui par la lumière se réfléchissant sur les carreaux de l'immeuble d'en face, il se leva pour baisser le store, mais la vieille manivelle métallique se coinça et refusa d'obtempérer. Énervé, il retourna s'affaler dans son fauteuil et soupira.

Impossible de montrer ces comptes au repreneur. Beaucoup trop risqué, tant que le contrat n'était pas finalisé. Tant pis, il valait encore mieux repousser la signature de deux mois et présenter des comptes trimestriels. À condition que ça remonte vite fait. Et pas qu'un peu. Il décrocha son téléphone.

— Jonathan, c'est moi.

— Salut Michael, comment vas-tu ?

— Mal. Je viens de lire le rapport et les comptes du mois. Le chiffre se casse la gueule. Pas qu'un peu. C'est la cata. Et tu sais quoi ? Le comptable est formel : ça vient de toi, enfin de tes clients.

Silence au bout du fil.

Michael soupira, puis d'un coup explosa.

— Mais qu'est-ce qui se passe, bordel ?

Nouveau silence.

— Je suis pas sûr, je...

— Mais c'est grave, tu te rends compte ? Ça fait sept semaines que t'as repris, et depuis ça baisse, ça baisse, ça baisse. Qu'est-ce que t'as foutu ? Même quand t'étais pas là, on faisait plus de chiffre ! Qu'est-ce que tu fous ?

— Écoute... c'est vrai que je m'y prends autrement et... enfin... c'est possible que ça ait un impact négatif sur le chiffre et...

— Non mais tu te fous de moi ? Ça fait un mois qu'on prépare les papiers pour que je te rachète tes parts et, pendant ce temps, monsieur fait des expérimentations hasardeuses. Tu veux planter la boîte ? C'est quoi ce délire ?

— Je suis désolé, Michael, je...

— Mais qu'est-ce que tu crois ? Que je vais te racheter des parts qui ne valent plus rien ?

Silence.

- Michael... je suis confus, je...

— Écoute, je sais pas ce que tu fais, je sais pas comment tu t'y prends maintenant et je veux pas le savoir. Ce que je veux, c'est que tu te remettes à bosser comme avant, jusqu'à ce que j'aie racheté tes parts. Et mets les bouchées doubles pour regagner le chiffre perdu. Il y a urgence.

Nouveau silence.

— Tu m'entends ?

— Michael... Écoute... ça va pas être possible.

— Quoi, comment ça ?

— Je ne veux pas bosser de la même manière qu'avant... Mais j'entends ce que tu me dis, je comprends ta position, je comprends que ça pose problème pour toi, pour...

— C'est le moins qu'on puisse dire !

— Je comprends tout ça mais... je veux pas transiger sur... mes valeurs. Je...

— Qu'est-ce que tu me chantes, c'est quoi ces conneries, encore ?

— Écoute... Une fois de plus, je comprends que ça pose problème pour toi, et... si ça rend ton rachat des parts moins intéressant, je veux bien y renoncer...

Michael en resta coi, interdit.

— Si tu veux, dit Jonathan, on arrête tout.

Michael finit par raccrocher. Il était vert. Ce petit con de Jonathan était en train de tout faire capoter...

*

* *

Plus une seule tablette de chocolat dans le placard.

Quand Angela vivait avec Jonathan, c'est lui qui veillait à ce que son stock soit toujours à niveau. Parfois, il s'amusait à lui laisser croire un instant qu'il n'y en avait plus, histoire de la voir paniquer, puis lui sortait tel un magicien une tablette soigneusement planquée, et éclatait de rire en voyant son soulagement.

Jonathan… Elle se sentit mal en pensant à leur dernière entrevue. Prise de court, elle avait peut-être mal agi en s'enfuyant comme elle l'avait fait. Elle n'était certes pas prête à entendre ce qu'il lui disait, mais il avait quand même eu le courage d'avoir fait ce pas. Elle se sentait ingrate, injuste.

Elle ouvrit nerveusement le placard d'à côté, au cas où.

Rien.

Elle se mordit les lèvres.

Elle trépigna une seconde dans la cuisine, puis ouvrit fébrilement d'autres placards. Il y avait bien un truc à grignoter qui lui passerait l'envie de chocolat. Un petit shoot de sucré, quelque chose, n'importe quoi…

Rien.

Bon, inutile de stresser, de toute façon, elle était bien incapable de tenir comme ça, elle le savait bien. Elle passa la tête à la porte de la chambre de Chloé et attendit quelques secondes que ses yeux s'habituent à la pénombre.

Sa fille dormait profondément, la bouche entrouverte, serrant son cochon en peluche dans ses bras. Trop mignonne.

Angela repoussa doucement la porte, prit son sac, ses clés, et sortit de l'appartement sur la pointe des pieds en refermant soigneusement derrière elle. Cinq minutes suffiraient, elle pouvait laisser sa fille sans risque, en se dépêchant.

Dans la rue, la nuit était douce et tiède. Angela hâta le pas en direction de l'avenue. La nuit laissait s'échapper du parc Dolores voisin le doux parfum des arbres. Le bruit des voitures n'était plus qu'un lointain bourdonnement. Au coin se trouvait le *deli* tenu par un Indien, ouvert jusqu'à minuit. Arrivée devant le magasin, elle s'apprêtait à entrer quand son attention fut attirée par une BMW qui s'arrêta de travers devant le voiturier du Fenzy's un peu plus loin. En sortit une jeune femme en robe ultracourte avec des jambes de deux kilomètres et des talons aiguilles. Et là, stupeur, Angela reconnut la baby-sitter qui s'était retrouvée chez elle les seins à l'air en compagnie de Jonathan. La tenue jean-baskets s'était muée en robe de soirée noire.

La douleur qu'elle avait ressentie à l'époque réapparut à l'identique, comme un poison qui se répand en un instant dans tout votre corps, votre cœur, votre tête et vous plombe méchamment. Puis vinrent la surprise, l'incompréhension : comment une baby-sitter pouvait-elle se payer une BM ?

Clouée sur place, Angela vit la jeune femme à la démarche assurée abandonner les clés de sa voiture dans la main du voiturier sans même lui adresser un regard, puis s'avancer vers un homme qui attendait devant le restaurant en la regardant bizarrement. Il avait au moins trois fois son âge.

— Samantha ? demanda-t-il d'un ton hésitant.

En guise de réponse, elle déposa brièvement un baiser sur ses lèvres.

Ils échangèrent quelques mots puis entrèrent dans le restaurant.

Angela sentit le dégoût et la colère monter en elle. Non seulement Jonathan l'avait trompée, mais en plus c'était avec une call-girl.

## 29

Jonathan serra le petit bouquet de fleurs en voyant le tramway arriver au loin. Il ressentait un mélange d'excitation et de trac. Assis sur un banc non loin de la terrasse du café, il était bien placé : à quelques mètres à peine de l'arrêt.

C'était la fin de l'après-midi, après le travail. Jonathan était satisfait de sa journée. Des contrats remis d'aplomb, des échanges fructueux avec des clients qui s'étaient confiés à lui, de nouvelles protections mises en place, au plus près de leurs besoins. Le business comme il l'aimait désormais.

Le parfum des fleurs lui chatouillait les narines, comme si la nature s'invitait en centre-ville, au milieu de la circulation. Le soleil très incliné se réfléchissait en douceur sur les taxis jaunes qui défilaient.

Le tramway apparut au loin.

Jonathan se répéta son plan : choisir la septième personne qui en descendrait. La septième. Il se demandait bien à quoi elle ressemblerait...

Et si c'était un homme ? Il sourit à cette idée. Aurait-il le courage de donner le bouquet à un homme ? Et si ça tombait sur un gros dur qui lui envoyait son poing en pleine figure ? Il pouffa de rire, tout seul sur son banc, et un passant lui jeta un regard inquiet.

Le tramway rouge s'approcha, puis passa devant lui dans un vrombissement aussitôt suivi du crissement des freins métalliques sur les rails, puis du tintement de la clochette annonçant l'arrêt. Jonathan sentit un léger pincement au cœur.

Les portes s'ouvrirent et plusieurs personnes sortirent presque en même temps. Jonathan les scruta attentivement.

Un ado en même temps qu'une jeune femme, suivi d'un cadre. Trois. Un petit vieux et une fille aux allures de lycéenne : quatre et cinq. Six, une vieille femme aux cheveux blancs appuyée sur une canne noire, et... plus personne. Jonathan attendit, le regard vissé sur les ouvertures du tram. Les portes s'apprêtaient à se refermer quand une femme descendit précipitamment les marches et sortit. D'âge moyen et d'allure passe-partout, elle ressemblait à tout le monde. Elle marcha du pas plutôt rapide de celle qui, sortant du bureau, a hâte de rentrer à la maison. Le regard dans le vague et les sourcils légèrement froncés, elle semblait encore préoccupée par ses affaires de la journée.

Jonathan se leva, attendit qu'elle se rapproche, puis fit un pas de côté pour se mettre sur son chemin, et il lui tendit le bouquet. La femme sursauta et eut presque un mouvement de recul.

— C'est pour vous, dit-il alors avec un grand sourire.

Et il déposa le bouquet dans ses bras. Il prit à peine le temps d'apercevoir la surprise sur son visage, et il s'éclipsa dans le flot des passants pressés de rentrer chez eux.

*

\* \*

Mort de rire.

Le con.

Il drague une moche, il casse sa tirelire pour acheter un bouquet, et il n'essaye même pas de conclure ! Il se tire sans lui parler, sans même lui donner son prénom ! Le nul absolu.

Ryan n'en revenait pas de sa chance. Ce médiocre de Jonathan persévérait dans ses conneries, s'enfonçait dans la stupidité la plus pure, la plus éclatante. La précédente vidéo où on le voyait commandant un café à une inconnue sans oser se faire connaître était déjà poilante. Elle avait eu un vif succès sur le blog : cent quatre-vingt-neuf *like* et vingt-sept commentaires. Un record. Ça tombait à pic, au moment où le feuilleton des haussements d'épaules de Gary commençait à s'essouffler.

Ryan fit un rapide montage en recoupant les premières secondes de la vidéo, inutilement longues. Mais il ne coupa pas la fin, pour qu'on voie bien la femme redoubler de surprise quand elle regarde l'inconnu disparaître. Il fallait qu'on voie son sourire, son visage soudain radieux, pour bien montrer à quel point Jonathan avait loupé l'occasion.

Il publia la vidéo sur le blog et ajouta des bannières publicitaires sur la page. Aux habituelles vendant des tests de QI, il en ajouta de nouvelles pour des clubs de rencontres et une pour la vente en ligne de bouquets de fleurs.

Puis il attendit fébrilement les premières réactions... qui ne se firent pas attendre.

*Quel naze !!!*

*Il a fait l'école de la séduction mais n'a pas tout compris.*

*Le roi de la tchatche !*
*L'abruti.*
*Le crétin !*

Désormais, Ryan allait mettre le paquet sur Jonathan, le shooter dès qu'il pointerait son nez en terrasse, et braquer la deuxième caméra à la fenêtre de la chambre sur le jardin à l'arrière de sa maison. Il ne voulait rien manquer de ses exploits, ses exploits d'alpiniste de la bêtise.

*
* *

Jonathan poussa la porte de chez Gary's. L'odeur des muffins chauds l'enveloppa aussitôt. À l'autre bout du magasin, derrière son comptoir éclairé d'une lumière jaunâtre, Gary avait sa tête des mauvais jours, c'est-à-dire celle de tous les jours. Jonathan ignorait ce qu'il avait vécu pour en arriver là. Peut-être avait-il enchaîné les coups durs au point de ne plus savoir ressentir la moindre émotion positive ? Peut-être avait-il vu se succéder les abus et les trahisons au point de ne plus pouvoir croire en la possibilité de la sincérité ?

— Bonjour ! dit Jonathan en souriant. Comment allez-vous aujourd'hui ?

— B'jour, marmonna Gary.

— J'aimerais un muffin aux raisins. À emporter.

Gary en prit un et l'emballa.

— Ils sont délicieux, vos muffins. Franchement, bravo, vous êtes très doué.

Gary fronça ses gros sourcils noirs et, sans lever la tête, lui lança un regard suspicieux par en dessous.

— Un dollar trente-cinq.

Jonathan posa la monnaie sur le comptoir, sans se départir de son sourire. L'autre la prit en silence.

— Au revoir, passez une bonne journée ! dit Jonathan sur un ton enjoué qui resta sans effet.

Il sortit du magasin. Combien d'expériences positives cet homme devait-il vivre pour commencer à voir le monde autrement ?

Cela lui donna une idée. Il passa chez son client, le quincaillier pakistanais, et acheta une nappe en papier blanche. Il rentra à la maison, décrocha son téléphone et appela Gary.

— Bonjour, dit-il en changeant un peu sa voix. Je voudrais faire une commande. Il me faut cinquante muffins aux raisins pour dans une demi-heure.

— Cinquante muffins ? dit l'autre d'un ton incrédule.

— Oui.

— Vous venez bien les chercher, pas de lézard, hein ? Parce que cinquante muffins, moi, j'écoule pas ça dans la journée, hein.

— Bien sûr, comptez sur moi.

Un temps de silence.

— Donnez-moi vot' nom.

Jonathan hésita une seconde puis inventa :

— Robbins. Pour dans une demi-heure.

Jonathan descendit à la cave, son canif et un feutre dans la poche, et une lampe torche à la main. Dans la pénombre humide à l'odeur de moisi, il remua quelques vieilles affaires poussiéreuses, puis finit par trouver ce qu'il cherchait : une paire de vieux tréteaux en bois. Il trouva aussi une planchette et sortit.

Il attendit quelques minutes à proximité de chez Gary's, puis aperçut un gamin en skate-board.

— Hé ! Mon grand, tu veux gagner deux dollars en trois minutes ?

Le gamin sourit.

— Ça dépend. C'est compliqué ?

— Du tout : tu rentres dans le magasin et tu dis que tu viens chercher la commande au nom de Robbins, et tu donnes ce billet au gars. Tu ressors, tu me donnes le sac et t'as gagné tes deux dollars. Fastoche, hein ?

Le gamin secoua la tête.

— Deux dollars, c'est pas grand-chose...

— Tu blagues ? Deux dollars pour trois minutes, ça fait quarante dollars de l'heure ! C'est un salaire de cadre, mon grand !

— Trois dollars.

— Mais... y a pas plus simple, c'est même pas fatigant !

— Alors pourquoi tu le fais pas toi-même ?

— Eh bien...

— Trois dollars.

Jonathan éclata de rire.

— Tu te feras pas marcher sur les pieds dans la vie, toi.

Deux minutes plus tard, Jonathan disposait les muffins coupés en quatre sur la nappe recouvrant le petit buffet improvisé devant la partie occultante de la vitrine de Gary's. Sûr qu'il ne le verrait pas : le bougre ne pointait jamais le nez sur le trottoir.

Jonathan sortit un gros feutre rose, dessina un grand cœur sur la nappe blanche, et inscrivit dedans, de sa plus belle écriture :

*Offert par Gary*

# 30

Moins vingt pour cent.

Jonathan n'avait pas vu le coup venir.

Et pourtant, c'était logique, en fin de compte. La part variable de son salaire découlait directement du chiffre d'affaires de son activité. Chiffre en baisse, salaire en baisse. On ne peut pas tout avoir.

Tant pis. Hors de question de se remettre à travailler comme avant. Ça n'avait plus aucun sens pour lui, maintenant, et il avait trop de satisfaction à se sentir honnête, intègre, utile aux autres. Trop de fierté à se sentir quelqu'un de bien. Impossible de revenir en arrière après avoir perdu des années avant de réaliser ce qui lui semblait maintenant une évidence : le bien-être vient du bien-être. Bien être, voilà la clé. Savoir qui l'on est, puis l'être pleinement, à chaque instant, et refuser d'être autre chose.

Tant pis pour l'argent. De toute façon, ce n'était plus sa motivation. Comme tous ceux qui entrevoient la fin de leur vie, sans doute. Seuls les pharaons emportaient leurs richesses dans l'au-delà. Pour nous autres Terriens de base, on se rend compte quand approche le jour dernier que ce qui accaparait une bonne partie de notre attention durant notre vie devient soudain totalement inutile, d'aucune aide, d'aucun secours.

Mais Jonathan avait quand même un problème, beaucoup plus trivial, bêtement concret : il fallait bien payer le loyer et les factures. Et là, ça risquait de coincer.

Il scruta, songeur, son relevé bancaire et la longue liste des sommes s'alignant dans la colonne des dépenses.

Pas de doute, il allait falloir réduire le train de vie, pourtant loin d'être dispendieux. Il allait falloir aussi arrêter les cadeaux anonymes. Les cafés, fleurs et autres muffins, ça finit par chiffrer, au bout du compte. Dommage… C'était bien plaisant, bien agréable. Puisqu'on est tous reliés, en faisant du bien aux autres, il s'en donnait à lui-même…

Il allait falloir trouver le moyen de continuer autrement, sous une autre forme, sans que cela plombe son compte en banque…

*
* *

— Délicieux, vos trucs, là !… Bravo mon vieux !

Gary scruta le client. Un gars d'une quarantaine d'années, bien fringué. Jamais vu ce type avant. Pas un habitué, en tout cas.

— Vous m'en mettrez trois, non, quatre, dit le gars.

Gary emballa les muffins et encaissa en silence.

— Impec, dit le type. Bonne soirée, et encore merci !

Gary le suivit du regard jusqu'à ce qu'il passe le seuil.

Mais qu'est-ce qu'ils avaient tous, bon sang, depuis ce matin ? Qu'est-ce qu'il leur prenait ? Ils étaient tous bizarres, pas nets. Un truc qui tournait pas rond. Et puis pourquoi ils étaient si nombreux ? Il n'avait jamais vu autant de clients en une seule journée. Jamais. Même qu'il avait pas arrêté de refaire des fournées.

Il réalisa soudain que les gosses braillaient dehors. Jusque-là, il faisait pas gaffe, occupé qu'il était. À tous les coups, ils faisaient encore des conneries. Les gosses dans la cour, c'est comme les muffins dans le four : on tourne le dos cinq minutes et c'est foutu.

— C'est vous Gary ?

Il leva les yeux. Une inconnue s'avançait vers lui avec un sourire franchement bizarre et un chapeau comme il n'en avait jamais vu. Qu'est-ce qu'elle voulait, celle-là aussi ?

— Ils sont succulents, vos gâteaux !

Gary la toisa un instant. Avec sa voix haut perchée, elle avait une tête de chanteuse d'opéra, comme on en voit parfois à la télé, qui crient comme si on allait les étrangler.

— C'est pas des gâteaux, c'est des muffins...

— Donnez-m'en deux, voulez-vous. Ils sont si bons, si moelleux, vous êtes le meilleur des pâtissiers, excellentissime ! brillantissime ! Oh ! J'adore ces gâteaux !

On ne l'arrêtait plus. Elle prit son sachet et disparut en s'extasiant, poussant des cris aigus comme ces femmes qui jouissent au cinéma. Au cinéma, parce que dans la vraie vie, ça n'existe pas.

— Oh m'sieur, trop bons tes bagels. Ça coûte combien, ce truc ?

C'était la journée des spécimens.

— C'est pas des bagels, c'est des muffins. Un dollar les nature, un dollar trente-cinq tous les autres.

— Ouais, je vais prendre un nature, là. Sans déconner, t'es trop fort, non, franchement j'te l'dis : c'est trop bon.

Gary fronça les sourcils. Il pensa à ses gosses. Il fallait qu'il soit un peu plus sévère avec eux, qu'ils ne deviennent surtout pas comme ça.

— Encore merci, m'sieur ! Sont top vos… machins, là.

— Bonsoir, je suis pressée, dit une jeune femme. Vous m'en donnez deux à emporter ? Avec des pépites de chocolat.

Il les emballa en silence.

— C'est très sympa ce que vous faites. D'habitude, je passe devant sans rentrer…

Gary la regarda sortir.

Bizarre, aujourd'hui, ils lui faisaient tous des sourires, des compliments. Comme s'ils s'étaient passé le mot pour se foutre de sa gueule.

Pourtant, lorsqu'il alla se coucher, ce soir-là, vanné par sa dure journée de travail, un léger sourire s'invita sur ses lèvres, sans qu'il sache pourquoi. La folie de tous ces gens avait dû le contaminer, lui aussi.

# 31

Jonathan regarda son associé. Depuis quelque temps, Michael était différent, un peu moins jovial à son égard, même si, par ailleurs, il n'avait pas perdu son sens de l'humour. Sans doute ne lui pardonnait-il pas sa nouvelle façon de travailler moins productive. Pourtant, cela n'impactait pas son salaire à lui, chacun étant commissionné sur ses propres résultats.

Mais en un sens, Jonathan le comprenait. Entre associés, c'est comme dans un couple : si l'un vient à évoluer différemment de l'autre, la cohabitation peut vite devenir difficile.

Inévitablement, l'image d'Angela passa devant ses yeux. Depuis l'humiliation qu'il avait ressentie après s'être confié à elle, ils s'évitaient soigneusement. Jonathan partageait le café matinal avec Michael, un jour sur deux. Une sorte d'accord tacite, jamais formulé.

Ce matin-là, la terrasse était bondée.

— L'homme avec un polo beige assis en face de la fille en rouge, c'est un client, dit Jonathan en baissant la voix.

Michael le regarda quelques instants.

— J'espère que tu lui as mis le paquet en assurance incendie.

— Pourquoi ?

— Je connais sa nana.

— Et alors ?

— Elle a le feu au cul.

Jonathan sourit.

— Non, en fait, c'est pas la peine, ajouta Michael. Partout où elle passe, t'es sûr d'avoir l'arrêté de catastrophe naturelle.

— Tais-toi, Michael, protesta Jonathan en riant malgré lui.

— Tiens, à propos de catastrophe, t'as vu comment il est fringué, le mec à droite, au bout ?

Jonathan regarda dans la direction.

— C'est... différent, c'est original...

— Ça, pour être différent, c'est différent, dit-il, hilare.

La serveuse s'approcha d'eux.

— Bonjour, qu'est-ce que je vous sers aujourd'hui ? dit-elle avec un léger zozotement.

— Deux cafés, dit Jonathan.

Michael la regarda s'éloigner.

— Ze vous apporte za tout de zuite, dit-il.

— Tais-toi...

Jonathan l'avait déjà remarqué dans le passé : quand Michael allait mal, son humour devenait moqueur.

— Tu vas prendre un peu de vacances, cette année ? demanda Jonathan.

Michael secoua la tête.

— Il faut bien qu'il y en ait qui bossent.

Jonathan ne releva pas.

Devant eux, une voiture entreprenait de faire un créneau.

— Ouh là... c'est pas gagné, dit Michael. Tiens, fais comme moi : on la regarde tous les deux en riant, et je te parie qu'elle y arrive pas, qu'elle finira par renoncer.

— Michael...

— Mais si, vas-y, je l'ai déjà fait quinze fois, c'est à mourir de rire. Elle a un peu de mal, tu la fixes, et après, elle n'y arrive plus du tout !

— Je n'ai pas envie de faire ça.

— On peut bien rigoler un peu. Ça me rappelle un autre truc. Mais faut être une tablée de trois ou quatre en terrasse pour que ça marche : tu repères une femme qui s'approche en talons, et tout le monde fixe ses pieds, les sourcils froncés, comme si elle avait un problème. Et tu sais quoi ?

— Non.

— Neuf fois sur dix, ça la fait trébucher !

Et il partit dans un fou rire.

— Je te jure, c'est trop drôle !

Jonathan sourit.

— Eh oui... quand on veut voir des problèmes, on crée des problèmes.

Michael n'entendit pas.

— Les pires, au volant, c'est quand même les vieux. Comme ils ont la nuque raide, ils ne se retournent pas pour reculer, ils ne regardent même pas de côté avant de tourner. On se demande pourquoi ils restent pas en maison de retraite.

La serveuse déposa les cafés.

Jonathan regarda Michael quelques instants, puis se pencha vers lui et baissa la voix.

— Quand j'ai un torticolis, moi aussi, j'ai la nuque raide.

— Pas de chance.

Jonathan continua à voix basse, sur le ton de la confidence :

— Parfois, quand je me gare, je m'y prends comme un pied et je loupe le créneau. Parfois aussi, il paraît que j'avale les mots quand je parle et on comprend rien à ce que je dis. En fait... j'ai plein de défauts : j'ai souvent peur, j'suis pas très courageux. Je doute parfois de moi, aussi, et puis je manque un peu d'énergie. Je...

— Pourquoi tu me dis ça ? interrompit Michael, visiblement embarrassé par ces aveux.

— Et je vais te faire une confidence : je ne suis pas perfectionniste. Je déteste fignoler quelque chose dans les détails, et d'ailleurs quand j'aime pas faire un truc, je le remets à plus tard, de jour en jour, jusqu'à ce que ça devienne un problème. Et alors, ça me prend trois fois plus de temps que si je l'avais fait tout de suite. Mais je ne peux pas m'en empêcher. C'est con, hein ? Et puis, je ne suis pas très patient, je m'énerve facilement. Par exemple, quand Chloé fait des bêtises, je vais crier et après, je m'en veux. Et puis aussi j'ai...

— Mais... pourquoi tu me dis tout ça ?

— J'ai aussi du mal à...

— T'as aussi des qualités...

Jonathan s'arrêta net, et se redressa tranquillement.

— Oui, dit-il avec un grand sourire. J'ai aussi des qualités.

*
* *

Ryan ouvrit un œil et regarda le réveil.

Merde.

Neuf heures. Pourquoi ne s'était-il pas réveillé plus tôt ? Il se leva d'un bond, courut à la fenêtre du salon et entrouvrit les voilages noirs. À tous les coups, il avait loupé le passage de Jonathan sur la terrasse. Déjà qu'on ne l'avait pas vu la veille...

Il scruta les tables occupées. Soudain, il l'aperçut debout derrière une table, visiblement sur le point de partir, seul face à la serveuse. *Fuck !*

Il se précipita sur son matériel, mit tout en marche en un clin d'œil et enfila le casque sur ses oreilles.

— Et je voulais aussi vous dire une chose, dit Jonathan à la serveuse.

Ryan resserra le plan sur leurs visages.

— Vous avez un joli sourire et c'est très agréable. Ça me met de bonne humeur dès le matin.

La serveuse sourit de plus belle, et se mit à rougir un peu.

Jonathan quitta la terrasse.

## 32

Dimanche.

Ryan regarda nerveusement à travers les voilages noirs. Que des touristes à la terrasse. Le héros de son blog y venait rarement le week-end.

Il décapsula une canette de Coca et la porta rapidement à ses lèvres. Il aimait les premières secondes où l'on sent les fines gouttelettes pétiller sur les narines. Il but quelques gorgées rafraîchissantes.

Le blog décollait comme il ne l'avait jamais espéré. En tout cas, pas à ce niveau-là. Les fidèles se comptaient désormais en milliers, et le flot grossissait chaque jour. C'est ça qui est cool avec le Web : c'est dur à démarrer, mais quand ça marche, ça cartonne. Le bouche à oreille fonctionne à plein. Les gens balancent le lien à tout leur carnet d'adresses, pour faire marrer les copains. Quand ça leur plaît, les copains font de même, et ça prend une pente qui peut vite devenir exponentielle. Une jolie courbe comme on les aime dans les écoles d'ingénieur.

Il mit son casque sur les oreilles et reprit son écoute de table en table.

Y a pas plus nul que des conversations de touristes. Par malchance, c'est pas con, juste nul. Donc pas drôle.

Lassé, Ryan fit un tour dans sa chambre et jeta un œil par la fenêtre.

Il aperçut tout de suite Jonathan au loin et actionna la caméra, braquée en permanence sur son jardin. Il sentit immédiatement que quelque chose se tramait. Jonathan jetait des coups d'œil bizarres autour de lui. Pas naturel du tout. Tant mieux. Ryan vérifia la mise au point, le son, et réajusta le cadrage.

Jonathan entra une seconde dans son abri de jardin, puis réapparut en poussant sa tondeuse. Merde. Dommage.

Mais mué par une sorte d'instinct, Ryan continua de filmer quelques instants.

Jonathan jeta de nouveau quelques coups d'œil autour de lui, tandis qu'il avançait vers le fond de son jardin. Il fit faire demi-tour à sa tondeuse, puis entreprit d'écarter les branches des buissons qui formaient une haie séparant son jardin de celui d'en face.

Celui d'en face, c'était celui de l'ancien héros du blog : Gary.

Il s'y glissa péniblement.

Qu'est-ce que Jonathan allait foutre avec sa tondeuse dans le jardin de ce vieux con ?

La machine se mit à vrombir. Qu'un assureur arrondisse ses fins de mois en faisant le jardin des voisins, c'était bien la preuve que la crise était encore là, quoi qu'en disent les journaux.

228

* *

Si chacun de nous était conscient de l'immense valeur qui est la sienne, c'est toute la face du monde qui serait changée.

Mais on vit dans une société où l'on dit rarement aux gens le bien que l'on pense d'eux. On a beaucoup de pudeur à l'exprimer et, finalement, beaucoup de retenue : chacun garde secrètement en soi ses opinions positives comme des graines qu'on laisserait se dessécher au fond de sa poche au lieu de les semer ou de les confier au souffle du vent, à la terre et à la pluie.

C'est peut-être la raison pour laquelle les gens ne sont pas habitués à recevoir de tels messages, et c'est difficile de faire un compliment sincère à quelqu'un sans que ce soit mal interprété ou que l'on vous prête des intentions sournoises. Et si par une chance inouïe votre sincérité n'est pas remise en cause, alors cette personne va souvent tenter de minimiser par tous les moyens la qualité que vous lui prêtez, dans un élan de modestie qui cache l'embarras à recevoir un cadeau aussi inhabituel.

Pour contourner ces travers, Jonathan avait une solution imparable : complimenter et disparaître. S'accorder juste le temps d'apercevoir la surprise, la naissance d'un sourire ou un début d'illumination dans les yeux, puis s'éclipser après avoir livré ce petit bout de miroir positif. C'était jouissif et il adorait ça.

Puisqu'il ne connaissait pas ses victimes, la question essentielle était souvent de savoir quel compliment formuler. Mais sur ce point, ses fréquentes visites à la terrasse du café lui avaient donné l'occasion d'apprendre à développer son instinct et à écouter ses intuitions.

C'est en effet très amusant d'observer une personne inconnue en essayant de deviner quelles sont ses qualités, juste comme ça, au feeling. La regarder quelques instants, et sentir sa manière d'être, ses valeurs, ses vertus, ses atouts. C'est complètement subjectif, absolument pas rationnel, et totalement infondé. Puis vous trouvez le moyen d'entrer en relation et de converser avec elle, et vous vous amusez à constater que la plupart du temps, vous avez vu juste.

Mais ce jour-là, son entraînement lui fut de peu de secours, lorsqu'il interpella le septième passager descendant du tramway, qui se trouva être un homme dont l'allure rappelait celle des videurs de boîte de nuit.

— Bonjour, dit Jonathan en souriant. J'aimerais vous dire...

L'autre le regarda d'un air particulièrement désagréable. On avait l'impression qu'il allait se mettre à aboyer. Cela coupa net l'inspiration de Jonathan, soudain incapable de ressentir la moindre qualité chez son interlocuteur.

— Je voulais juste vous dire... euh... vous dire...

Vite, une qualité, n'importe laquelle... Voyons, qu'est-ce que ce type pouvait bien avoir comme qualité ?...

— Quoi ? dit l'autre sur un ton agressif.

Il avait un regard de plus en plus méchant, et cela ajoutait de la confusion à l'embarras grandissant de Jonathan.

Une solution simple aurait été de formuler brièvement n'importe quel compliment un peu bateau, mais Jonathan s'était fait le serment de ne rien dire qui ne soit sincère.

— Qu'est-ce que vous me voulez ? dit le gars, de plus en plus pressant.

Il fit un pas en direction de Jonathan.

— En fait, je... rien ! Je ne veux rien vous dire. Rien.

L'autre le fixa un instant, puis s'éloigna en le suivant de son regard noir.

Heureusement, le mauvais sort ne s'acharna pas sur Jonathan. La fois suivante, le hasard désigna une charmante mamie toute souriante, à laquelle Jonathan trouva instantanément mille et une qualités.

*

\* \*

Ce matin-là, Gary sortit comme chaque jour de chez lui avec son courrier dans une main, un café dans l'autre, pour s'installer sur l'herbe, dans son fauteuil de jardin en plastique blanc. Mais à peine eut-il fait quelques pas dehors qu'il s'arrêta net, bouche bée.

Son jardin, habituellement envahi d'herbes folles à moitié piétinées par les gosses, s'étendait là, devant lui, parfaitement tondu. Il frotta ses gros yeux.

— Mais qu'est-ce qui se passe, bon Dieu ?

Il ne rêvait pas. QUELQU'UN avait tondu SA pelouse.

Et si c'étaient les gosses, qui avaient fait ça derrière son dos ? Non, impossible, ils étaient avec lui tout le dimanche à la maison, à plus de dix kilomètres. Même à vélo, ils n'auraient pas eu le temps.

Son regard balaya la pelouse impeccablement taillée. Il secoua lentement la tête. Mais qu'est-ce qui se passait en ce moment dans sa vie ?

Il finit par s'asseoir et s'attaqua au courrier du jour.

Une publicité pour une télésurveillance.

La facture de téléphone.

Le loyer.

Une pub pour des enseignes lumineuses.

Et puis une petite enveloppe beige avec <u>Gary</u> écrit à la main, et souligné.

Il fronça les sourcils. Ça puait les emmerdes. Genre un voisin qui se plaint du bruit que font les gosses dans la cour, ou un autre qui n'aime pas les odeurs de gras.

Il glissa son gros doigt dans l'interstice et déchira l'enveloppe.

À l'intérieur, un simple feuillet de papier, beige également. Il le sortit et le déplia.

Il ne comportait qu'une phrase, manuscrite, au beau milieu de la page :

*Tes arrière-grands-parents aimaient tes grands-parents mais ne savaient pas le leur dire*

Gary leva les sourcils, relut la phrase plusieurs fois, puis retourna le feuillet et ensuite l'enveloppe. Aucune indication. Instinctivement, il regarda lentement autour de lui, balayant du regard les maisons et les immeubles alentour.

— Qu'est-ce que c'est que ces conneries ?

Puis il haussa les épaules et passa à la lettre suivante.

Son fournisseur de farine annonçait une hausse des tarifs de 2,3 %.

*Business as usual.*

# 33

*Après avoir dragué en vain les moches, il se rabat sur des cibles à sa portée*

Sous ce titre anodin, le blog diffusait une série de vidéos, toutes plus poilantes les unes que les autres, où l'on voyait notamment Jonathan alpaguer dans la rue une vieille d'au moins quatre-vingts ans et lui tenir des propos flatteurs.

*Cours de séduction, démonstration n° 9*

Là, on voyait Jonathan attendre sur le trottoir que les passagers descendant d'un tram se dirigent vers lui. On apercevait dans ses yeux ce qui pouvait ressembler à une lueur d'espoir. Puis on le voyait se diriger vers un gros baraqué avec une tête de killer, plus viril tu meurs, et là, chose à peine croyable, le Jonathan qui l'accoste et essaye de le séduire en bredouillant lamentablement, avant de se faire jeter.

Sur le blog, les internautes se déchaînaient, de plus en plus nombreux, se vautrant dans la moquerie et la raillerie, traînant Jonathan dans la boue. Les insultes fusaient, les commentaires assassins pleuvaient, et Ryan jubilait.

Après avoir longtemps cherché par tous les moyens à faire connaître ses cons, Ryan s'attelait maintenant à une tout autre tâche : gérer le succès. Le flot de visiteurs du site grossissait de jour en jour, et il fallait alimenter le système. Heureusement, son con vedette était productif : on ne l'arrêtait plus.

*
* *

Jonathan se rasait, un œil sur le jardin de Gary. Le bougre hurlait sur ses pauvres gamins qui n'avaient pas l'air d'avoir fait grand-chose de mal.

En cherchant le chargeur de son rasoir, Jonathan tomba sur la lotion qu'il utilisait auparavant pour teindre ses premiers cheveux blancs. Il sourit et la lança dans la petite poubelle de la salle de bains. Au moment où il mit la main sur le chargeur, on sonna vigoureusement à la porte.

Il dévala l'étroit escalier de bois peint en blanc et ouvrit.

Un homme en costume-cravate lui mit sous les yeux un badge métallique sur lequel figurait sa photo.

— James Gordon, huissier de justice.

Il lui tendit un pli.

— Ceci est une mise en demeure de la Bank of California. Comme vous allez le lire, vous disposez de quinze jours pour rembourser votre découvert, faute de quoi je reviendrai faire un inventaire du mobilier.

Jonathan resta sans voix.

— Veuillez signer ici, dit l'huissier en lui tendant un récépissé et un stylo.

*

* *

Gary réprima un frisson quand il vit la petite enveloppe beige dans sa boîte aux lettres. C'était son seul courrier, ce matin-là. Il jeta un œil attentif à travers la vitre sur l'avenue, puis soupira. En traversant le magasin, il lança à ses gamins attablés devant leur petit déjeuner :

— Grouillez-vous de finir, on va bientôt ouvrir !

Il sortit dans la cour et referma soigneusement la porte derrière lui. Puis il déchira l'enveloppe et sortit le feuillet. Le même papier beige au toucher doux que la dernière fois.

*Tes grands-parents aimaient tes parents*
*mais ne savaient pas le leur dire*

Gary fixa longuement le texte, qu'il relut machinalement plusieurs fois. *Nom de Dieu, qu'est-ce qu'on lui voulait ? Qui diable pouvait lui balancer des trucs comme ça ? Qu'est-ce qui se passait dans sa vie, en ce moment ?*

*

* *

Raymond en avait gros sur la patate. Pas une place pour lui au Stella's. Complet. On osait lui dire ça à lui, lui qui faisait partie des meubles depuis près de quarante ans. C'est la première fois qu'on lui faisait cet affront, et l'humiliation lui cuisait le visage, il en suait de rage. Il en aurait pleuré.

Profondément vexé, il se traîna jusqu'au bar situé plus loin, là-bas, à la lisière du site. Un bar où les *beautiful people* ne mettaient pas les pieds. Il se sentait plombé comme si dans son sac on avait remplacé sa caméra par un rocher de deux tonnes.

Il poussa la porte, entra et s'installa au bar sans retirer ses lunettes de soleil.

— Une Bud.

Il but jusqu'à ce que l'alcool commence à dissoudre sa honte.

Alors il soupira profondément et se détendit un peu. Pas bon pour la tension, un coup pareil.

Il finit par se retourner et jeta un coup d'œil vers la salle.

Ce qu'il vit le cloua sur place.

Warren, le coach d'Austin, était en train de déjeuner avec le sponsor de son principal adversaire, Jack Volsh, le seul qui soit en mesure de lui rafler le titre. Son ennemi juré.

Raymond n'en revenait pas.

Ça me regarde pas, mais, là, y a quelque chose qui va pas.

C'était sans doute pas un hasard s'ils étaient venus se planquer dans un bar où ils étaient sûrs de ne rencontrer personne.

Ben tiens…

Tout s'expliquait, maintenant, tout devenait clair.

Warren était vendu.

## 34

La nuit enveloppait San Francisco de sa pénombre mystérieuse. De la terrasse de sa maisonnette en haut de la colline, Angela voyait scintiller au loin les lumières de la ville.

Ces derniers jours, la lune s'était amincie jusqu'à devenir aussi fine qu'un fil d'Ariane, et le ciel était saupoudré d'étoiles.

Chloé dormait à poings fermés, et Angela n'avait envie de rien, ce soir. Pas de voir un film à la télé, ni d'ouvrir un livre. Alors elle consulta ses e-mails machinalement.

Rien de spécial. Julia, une ancienne copine de lycée perdue de vue depuis longtemps, correspondait vaguement avec elle depuis qu'elle avait retrouvé sa trace sur Facebook. L'e-mail qu'elle lui envoyait ce soir ne lui était même pas personnellement adressé. Angela n'en était que l'un des nombreux destinataires.

*LOL !*
*www.minneapolischronicles.com/thekingofidiots.html*
*Bises, Julia*

Encore un lien vers un truc plus ou moins drôle et sans doute de mauvais goût, comme Julia en envoyait de temps en temps.

Mais bon, Angela versait un peu dans la déprime, ce soir, alors un peu de rire, c'est toujours bon à prendre.

Elle cliqua.

Message d'erreur.

Julia avait dû mal copier le lien. Angela retapa le nom du site sans l'extension et tomba sur la page d'accueil.

Une collection de vidéos sous des titres accrocheurs suggérant des scènes comiques.

Elle cliqua sur la première, assez courte et très drôle. Alors elle en visionna quelques autres, assez marrantes, même si les titres au ton moqueur la dérangeaient quelque part. En visionnant l'une d'elles, elle ressentit soudain une impression très bizarre, inexplicable. Comme une pointe d'angoisse injustifiée, d'autant plus que la scène filmée était insignifiante, une conversation entre deux personnes attablées, l'une d'elles racontant qu'elle mangeait les fleurs de son jardin. Ce sentiment était si étrange qu'elle s'obligea à visionner la vidéo une seconde fois, dans l'espoir de trouver l'origine de son trouble. Elle ne la trouva pas, mais continua de ressentir cette émotion particulière.

Elle avait envie de quitter le site au plus vite, et pourtant quelque chose en elle la retenait, lui intimait l'ordre de rester, sans savoir pourquoi.

Elle poursuivit la visite, et visionna quelques vidéos assez cocasses. Pas de quoi décrocher un oscar de l'humour mais marrant tout de même. Elle se détendit, et tourna quelques pages, découvrant chaque fois le visage d'une nouvelle victime aux réflexions ou attitudes comiques.

Elle ne put retenir un cri lorsque le visage de Jonathan apparut, crevant l'écran.

Comment avait-il pu se retrouver sur un tel blog ??? Le *Minneapolis Chronicles*... Il n'avait aucune attache dans le Middle West.

Elle fut tout de suite saisie par la curiosité : quelle ânerie avait-il pu sortir pour gagner sa place sur le site ? Impatiente de savoir, elle se précipita sur la vidéo.

Le film de Jonathan à quatre pattes sur sa pelouse arrachant le trèfle brin par brin la fit éclater de rire en même temps qu'il la surprit : comment diable était-il possible qu'il ait été filmé comme ça chez lui, dans son jardin !!! Si n'importe qui pouvait filmer ses voisins et le publier sur ce blog, c'était un peu flippant, tout de même...

Les commentaires laissés par les visiteurs étaient méchamment moqueurs. Mais bon, sur le Net, c'est un peu incontournable...

Tout de même, c'était incroyable que Jonathan se retrouve là, sur ce blog, filmé à son insu ! Elle n'en revenait pas. Et quelle coïncidence que cette Julia lui ait envoyé le lien, elle qui n'avait jamais rencontré son ex et n'avait donc pas pu le reconnaître. Il valait peut-être mieux, d'ailleurs...

Elle cliqua sur le bouton « Suite » et la page suivante s'afficha. Encore une vidéo de Jonathan !

Elle le découvrit en train d'offrir un café à une femme sans se dévoiler. Les gens du blog se moquaient de cette drague non assumée, mais Angela sut tout de suite qu'ils se trompaient. Cette femme n'était pas du goût de son ex, elle l'aurait juré. Et puis, il ne s'y serait pas pris de cette façon, elle le connaissait assez pour le savoir.

D'autres vidéos suivaient, nombreuses. Jonathan multipliait les offrandes anonymes, sous la risée des internautes. Ce lynchage en règle poussait presque Angela à prendre sa défense, malgré elle. Plus elle visionnait ces séquences, plus elle pressentait l'intention qui avait pu guider leur auteur. Une intention d'une noblesse qui contrastait tellement avec les moqueries que ces actes suscitaient.

Les commentaires fusaient par centaines, méprisants, orduriers, humiliants. Le regard d'Angela finit par se voiler, et des larmes apparurent lentement dans ses yeux tandis qu'elle parcourait ces textes nauséabonds.

Venaient ensuite des vidéos montrant Jonathan formuler des compliments variés à des inconnus, puis s'en aller comme il était arrivé, sans attendre de remerciements. Actes gratuits. On voyait éclater les sourires sur les visages et, lorsque ces personnes reprenaient leur chemin avec dans les yeux la lueur des âmes en joie, on sentait que leur journée se poursuivrait dans l'allégresse.

Les larmes perlaient sur les joues d'Angela tandis que ses yeux osaient à peine effleurer le torrent d'insultes qui suivait.

Lorsqu'elle vit Jonathan s'adresser dans la rue à une jeune femme très belle et lui dire sur un ton d'une sincérité touchante : « Je vous trouve très jolie », Angela se crispa. À l'écran, la jeune femme le gratifiait en retour d'un sourire sublime juste avant qu'il ne s'évanouisse dans la foule, puis le film s'arrêtait, figeant un regard évoquant sans ambiguïté que cette femme n'était pas indifférente à l'homme qui s'adressait à elle.

Les odieux commentaires suivaient, particulièrement acerbes, particulièrement violents. Pour une fois que la fille était jolie, ces minables devaient projeter sur Jonathan leur frustration de mecs en manque. Ils ne lui pardonnaient pas d'avoir laissé passer une occasion qui ne leur serait jamais arrivée à eux.

Secouée par toutes sortes de sentiments confus et mêlés, Angela se jeta sur son clavier, s'affubla du premier pseudo lui passant par la tête, puis cria ce qu'elle avait sur le cœur.

*Vous n'avez rien compris, il ne drague personne, il ne cherche à plaire à personne, ses actes sont des actes de générosité, d'altruisme, d'humanité. Jonathan est…*

Elle se reprit et effaça le prénom.

*Ce type est d'une bonté admirable !*

Fulminant de colère, les yeux trempés, elle copia son commentaire et le colla sous toutes les vidéos, une par une, page après page.

Puis elle éteignit rageusement son ordinateur, se prit la tête entre les mains et fondit en sanglots.

Malgré toute la souffrance que Jonathan lui avait infligée en la trompant, elle réalisait qu'elle l'aimait toujours.

## 35

— Michael ?

— Oui.

— C'est moi, Angela. Ne m'attends pas pour le café. Je ne vais pas venir au cabinet aujourd'hui.

— T'es malade ?

— Non...

Un silence.

— Mais je ne suis pas d'humeur à bosser.

Pas d'humeur. Allons bon...

— Eh bien... à demain, alors.

Nouveau silence.

— Pas sûr. En fait... je pense pas, non.

— Comment ça ?

— Je crois que j'ai envie de prendre un peu de recul... Je... enfin, je te ferai signe quand je reviendrai.

Michael raccrocha.

*Pas d'humeur, pas d'humeur... C'est ça, elle va elle aussi disparaître pendant un mois et, à son retour, elle va experimenter une nouvelle approche du métier qui fera chuter le chiffre de 20 % ! Putain, mais qu'est-ce qui m'a pris de m'associer avec des toquards comme ça ? Et j'suis pas près de me libérer de ces feignasses... Qui voudrait racheter un tiers des parts d'un cabinet qui se casse la gueule ? Pas John Dale, en tout cas. Putain, quand je pense que j'suis passé à deux doigts de la fortune. Les boules.*

L'assistante entra dans le bureau.

— T'en fais une tête, dit-elle.

Il leva les yeux.

— Tu viens pas me dire que t'as envie de prendre un peu de recul, j'espère ?

— Comment ça ?

— Non, tu veux pas prendre un mois pour écouter tes humeurs, t'interroger sur le sens de ton métier, ta vision de la vie, ou te gratter l'oreille avec la patte arrière ?

— Mais qu'est-ce que tu racontes ?

— *Good girl.* Tu viens me voir pour quoi, alors ?

— Rien, je t'apporte juste le rapport de la compta pour le mois dernier.

— Vous vous liguez tous pour me foutre le moral à zéro, c'est ça ?

Elle haussa les épaules et sortit.

Il ouvrit le document.

Chiffre d'affaires global : + 3 %.

*Qu'est-ce que c'est que ces conneries ?*

Il alla directement aux pages visant le segment de Jonathan.

Chiffre d'affaires moyen par client : − 19 %.

Chiffre d'affaires de la branche : + 17 %

Il décrocha son téléphone.

— Jonathan, c'est moi. Dis donc, t'as décroché un gros contrat, le mois dernier ?

— Non.

— Ton chiffre global est en hausse, alors que ton chiffre par client continue de baisser. C'est quoi, alors ?

— Il monte ?

— Ouais.

— J'ai récolté de nouveaux clients, des petits. Ça doit venir de là.

— Et ils tombent du ciel, comme ça ?

— Ils viennent par bouche à oreille, à ce qu'ils disent. Apparemment, j'ai eu pas mal de recommandations.

Michael raccrocha.

Plus 3 % en un mois, c'était pas arrivé depuis longtemps.

Il demeura songeur un long moment, puis tapa rageusement sur la table.

*Putain, j'aurais pas dû laisser Jonathan renoncer à me vendre ses parts !*

*<br>* *

« Ace ! »

« Jeu, set et match. »

Austin ferma les yeux. Il allait en finale.

Applaudissements nourris, mais sans liesse. Ils auraient préféré voir gagner le beau gosse espagnol, évidemment.

De toute façon, quand je gagnerai le tournoi, dans deux jours, j'entrerai dans les annales, dans l'histoire. Qu'ils le veuillent ou non. Alors on ne pourra plus me snober. À défaut de m'aimer, on me respectera comme on respecte un héros. Forcément.

Il s'approcha du filet et serra la main de son adversaire, de l'arbitre, et s'engouffra dans les vestiaires.

Au soleil éblouissant succéda la pénombre comme s'il était aspiré dans un tunnel noir, puis la lumière de nouveau, des projecteurs, tandis que les journalistes se précipitaient sur lui.

Il livra quelques réponses puis rejoignit sa loge, une pièce impersonnelle aux murs blancs et à l'odeur de renfermé, avec deux chaises, un canapé, et une table basse sur laquelle on avait disposé un panier de fruits et des petites bouteilles d'eau. Quelques bouquets de fleurs de fans étaient entassés sur une table le long du mur.

— Bravo, dit Warren. Je te laisse te rafraîchir quelques minutes avant de faire le point.

Et il disparut dans la pièce à côté.

Austin s'assit et toute la pression retomba. D'un seul coup, la fatigue s'abattit sur lui. Il but quelques gorgées d'eau, s'épongea le visage avec une serviette moelleuse au parfum de lavande, et ferma les yeux.

Il allait gagner la finale, il le sentait. Il le voulait, et il l'aurait.

Quand il rouvrit les yeux, il y avait un drôle de type devant lui, un gars d'une soixantaine d'années au visage un peu rougeaud qui lui disait vaguement quelque chose. Sans doute un perchman quelconque qu'on avait laissé se frayer un chemin jusqu'à sa loge malgré les consignes.

— Bonjour, dit le gars. J'ai hésité à venir vous voir, puis je me suis dit que j'pouvais pas garder ça sur le cœur.

— Qui êtes-vous ? demanda Austin impatiemment.

Pas envie d'écouter ce que n'importe quel inconnu avait sur le cœur.

— Je suis cameraman... je vous suis depuis des années...

Il avait presque l'air offusqué de ne pas avoir été reconnu. Les gens sont bizarres, parfois.

— Qu'est-ce que vous voulez ?

L'autre cachait sa gêne en se balançant d'un pied sur l'autre comme un gamin convoqué devant le directeur de l'école.

— Eh bien, ça m'regarde pas mais… j'crois qu'on vous cache des choses… graves.

Austin fronça les sourcils.

— De quoi vous parlez ?

Il continuait de se tortiller.

— Eh bien… votre coach, là… j'crois bien qu'il vous a fait un bébé dans le dos.

— Qu'est-ce que vous entendez par là ?

— J'me demande s'il n'est pas payé par le sponsor de Jack Volsh pour vous mettre des bâtons dans les roues.

Austin le dévisagea quelques instants. Ce type avait l'air idiot mais sincère.

— C'est grave ce que vous avancez. Qu'est-ce qui vous permet d'affirmer des choses pareilles ?

Le gars recula d'un pas et rougit un peu plus.

— J'invente rien… J'dis juste c'que j'ai vu, moi, c'est tout, c'est pour vous que j'dis ça, moi, ça m'apporte rien…

— Et qu'est-ce que vous avez vu, au juste ?

— Votre coach, l'autre jour, il mangeait avec le sponsor de Jack.

— C'est pas interdit.

— Oui, mais c'est pas tout ! Avant, je l'ai vu rembarrer méchamment une journaliste qui voulait dire des choses gentilles sur vous, une fan, quoi…

Austin se figea.

— Et puis, continua le gars, une autre fois, je l'ai vu s'adresser à un autre journaliste d'une façon qu'on n'aurait pas fait mieux pour s'le mettre à dos. Il roule pas pour vous, je vous jure, ça m'regarde pas, mais c'est sa faute si les journalistes vous cassent…

Austin était scotché. Et si ce type disait vrai ?

— Eh bien, on va s'expliquer. Warren ?

Le gars ouvrit des yeux ronds et recula en secouant la tête, de plus en plus rouge.

— Non mais… l'appelez pas… ça m'regarde pas, moi…

— Warren !

Le gars tourna les talons.

— Restez là !

Il se retourna, le visage écarlate et tremblant.

Warren entra dans la pièce, la mine déconfite.

Nom de Dieu, se dit Austin en le voyant. Ce type a dit la vérité.

Il le fixa dans les yeux pendant un long moment avant de parler. Quelque part en lui, il voulait repousser le moment où tout risquait de basculer à jamais.

— Qu'as-tu à répondre à ce monsieur ?

Warren resta figé, le regard dur.

— Rien, dit-il d'un ton glacial sans même jeter un coup d'œil à son délateur.

Austin n'en revenait pas. Quelque chose s'effondrait dans son monde si bien réglé, si bien cadré. Quelque chose d'incompréhensible.

Il ne pouvait pas quitter des yeux son coach, qui soutenait son regard sans faillir.

— Vous pouvez disposer, finit-il par dire à l'autre type qui ne se fit pas prier.

Un silence pesant s'abattit dans la loge.

— Tu me dois peut-être quelques explications ? dit Austin au bout d'un moment.

Warren secoua calmement la tête.

— Ma mission est de te faire gagner. Tout le reste me regarde.

Austin acquiesça lentement en faisant la moue, avant d'exploser.

— Je viens d'apprendre que tu roules pour Volsh et ça ne me regarde pas ?

— Je ne roule pas pour Volsh. Son sponsor est un vieux pote.

— Et ces histoires de journalistes auprès de qui tu me grilles, c'est quoi ce délire ?

— Le seul objectif que tu m'aies assigné est de te faire réussir.

— Mais... les journalistes... tu sais à quel point je suis blessé par leur attitude, je...

— Tu ne m'as pas assigné d'objectif sur ce point.

— C'est pas une raison pour...

— Tout ce que je fais est guidé par un but unique : ta réussite.

— Mais...

Soudain, Austin comprit.

Il comprit, et c'était tellement énorme qu'il le reçut comme une gifle en pleine figure.

Le souffle coupé, il regarda fixement son coach. Il sentait son sang battre dans ses tempes, il était en sueur.

Puis il prit son sac, quitta les lieux à la hâte, et s'engouffra dans la limousine qui l'attendait.

# 36

Ryan éclata de rire en lisant le commentaire de Gigi21 posté la veille.

Qu'est-ce que c'est que cette conne ?

Comment peut-on être assez stupide pour voir de l'humanité dans la bêtise ? Elle est bien bonne, celle-là ! Ou alors, c'est bien le signe que la bêtise est au cœur de l'humanité...

Il poursuivit sa lecture des commentaires, de plus en plus nombreux, sur la dernière vidéo. Agacé, il découvrit que d'autres internautes approuvaient le point de vue de la conne. Dommage qu'ils ne pointent pas leur fraise en terrasse, ils auraient fait de bons sujets, eux aussi. Ça aurait renouvelé le stock.

Il se pencha ensuite sur les analyses statistiques de fréquentation des pages de son blog. Celles hébergeant les vidéos de Jonathan étaient de loin celles qui avaient le plus de succès et, phénomène intéressant, ses anciennes vidéos gagnaient aussi en audience. Visiblement, le public appréciait ce con et en demandait plus. Parfait. On allait lui en donner.

Quant aux recettes publicitaires, elles étaient en forte hausse. Jonathan était un con qui rapportait

*
* *

Disparue.

Gary parcourut la petite dizaine de plis qu'il venait de retirer de sa boîte aux lettres. La petite enveloppe beige n'y était pas. Pourtant, il l'avait bien aperçue entre les mains du facteur. Même que son cœur s'était serré à sa vue.

Il rouvrit la boîte et glissa de nouveau la main dans le trou étroit. Pas toujours pratique d'avoir de grosses paluches. Il palpa les parois intérieures en métal froid et soudain la sentit. Elle était restée coincée sous le repli de fer en dessous de la fente, comme si elle refusait de se livrer. Il la sortit en se griffant la main au passage. Ultime tentative de résistance. Il la glissa au milieu du petit tas de lettres qu'il serrait dans la main gauche, et traversa le magasin en ignorant les mômes attablés pour le petit déjeuner. Il sortit sans prendre la peine de se préparer un café, rompant avec ses habitudes, et s'installa sur sa chaise en plastique dans la cour.

Il avait le trac.

Il aurait dû s'habituer à ce genre de choses étranges survenant dans sa vie. Pourtant, ses mains tremblèrent quand qu'il décacheta l'enveloppe.

*Tes parents t'aimaient mais ne savaient pas te le dire*

Il secoua la tête. Quelque part, il s'y attendait. La suite logique.

Il soupira, relisant ces mots, encore et encore. Puis, sans savoir pourquoi, il se mit à pleurer.

C'était comme si des choses inconnues, incompréhensibles, remontaient à la surface. Comme ces bulles d'air, parfois, quand il mettait trop de levure dans la pâte : ça montait, ça montait, et puis soudain la croûte se fendait de partout.

Des images fusèrent dans son esprit, désordonnées. Sa femme, dont il ne s'était jamais senti aimé, de son vivant. Ses gosses, jamais affectueux avec lui. Ses clients, froids, désagréables jusqu'à ces derniers jours. Et puis les tréteaux sur le trottoir avec le plateau plein de miettes et ce grand cœur dessiné sur la nappe, « offert par Gary ».

Un souvenir plus vieux revint soudain, improbable : il avait quatorze ans, apprenti chez un maître boulanger. Il était gamin, imberbe, tout mince, vêtu des pieds à la tête d'habits de coton blanc, épais et rêches. Trois heures du matin dans la nuit noire. La farine, omniprésente, qui vole partout, recouvre le sol, la peau, et blanchit les cheveux. L'odeur du pain chaud. L'immense four avec ses bûches qui crépitent. Quand il l'ouvrait, c'étaient comme les portes de l'enfer qui s'écartaient devant lui, et la chaleur des flammes lui brûlait violemment le visage.

Le maître lui avait révélé le secret des compagnons français : le levain, comme tout ce qui est vivant, ne se maîtrise pas, disait-il. Mais il dépend de toi comme tu dépends de lui. Si tu n'es pas bien, si tu es de mauvaise humeur ou si tu n'es pas à ce que tu fais : il ne lève pas. Tu peux tout essayer, ça ne marchera pas. Tu peux pétrir pendant des heures, changer la température de la pièce, varier l'humidité, ça ne marchera pas. Mais si tu es bien, si tu es heureux dans ce que tu fais, alors le levain, comme toi, va s'épanouir, et le miracle va opérer.

Gary avait fini par quitter le maître et opter pour la levure chimique.

Tous ces souvenirs ressortaient et se mêlaient sans raison. Son esprit était un vrai capharnaüm, un antre d'où jaillissaient des bribes de sa vie, de son passé, ses douleurs, ses regrets, ses humiliations.

Et de ce feu d'artifice d'images, d'éclats de voix et d'émotions sans forme émergea soudain une idée, qui devenait de plus en plus claire, comme les photographies d'autrefois qui se formaient comme par magie sur le papier plongé dans un révélateur. Une idée qui résumait l'erreur de toute une vie : gamin, il pensait que les autres étaient froids et méchants.

Plus tard, il avait découvert que les gentils, les bons, les affectueux, ça existait. C'était juste pas pour lui. Lui, il attirait les odieux, les râleurs, les pénibles. C'était son karma, son destin, et il le porterait toute sa vie.

Et maintenant, il réalisait que les autres n'étaient ni gentils ni méchants, ni bons ni mauvais. Ils avaient tout ça en eux, comme tout le monde. Ce qu'ils exprimaient dépendait de ce que lui exprimait, comme si une partie d'eux répondait à une partie de lui-même. Leur attitude n'était qu'un miroir de la sienne.

Il essuya ses larmes, puis resta longuement ainsi, assis dans la cour, à laisser ses souvenirs émerger, à revoir sa vie à la lumière de sa découverte.

Puis il appela ses enfants.

Pas de réponse.

Il les appela plus fort, et ils apparurent sur le pas de la porte.

Il trouva qu'ils avaient l'air apeurés, et il eut honte.

Il leur fit signe d'approcher.

Ils s'exécutèrent lentement. Quand ils furent à sa hauteur, ils se figèrent. Alors, il passa les bras derrière leur dos et les attira à lui.

## 37

C'était le milieu de la nuit. Angela se retournait dans son lit, en vain. Impossible de se rendormir. Elle ressassait les horreurs qu'elle avait lues sur Jonathan dans ce blog, ce torchon de blog, et elle s'énervait toute seule.

« Pense à autre chose. »

Il fallait qu'elle se calme, qu'elle oublie tout ça. Elle y repenserait dans la journée si elle voulait, mais là, il fallait dormir.

« Pense à des choses douces, calmes, positives. »

Elle se força à visualiser une prairie, avec des fleurs des champs de toutes les couleurs, des petits lapins qui sautent dans l'herbe...

« Voilà, c'est bien, continue comme ça et tu vas vite t'endormir. »

Les fleurs, les... et soudain elle repensa à la vidéo du type racontant qu'il mangeait les fleurs de son jardin, cette vidéo visionnée sur le blog qui l'avait mise si mal à l'aise. Une vidéo sans Jonathan et où il ne se passait pas grand-chose, rien de choquant. Elle l'avait vue deux fois sans parvenir à comprendre l'origine de son trouble.

C'était pas normal. Il y avait forcément une raison à son malaise. Elle devait la trouver. Quelque chose en elle la poussait, lui intimait l'ordre de chercher. Comme une intuition, un pressentiment.

Dors. Tu feras ça demain. Pour l'instant, dors. Pense à la nature, aux petits lapins…

Elle se força à respirer profondément, lentement, et à se détendre.

Non. Non, ça ne servait à rien. Maintenant qu'elle avait cette vidéo en tête, elle ne se rendormirait pas, elle le savait bien. Autant régler le problème tout de suite. Vite fait.

Elle tendit la main, alluma sa lampe de chevet, et se leva.

Dans le couloir, elle jeta un coup d'œil à Chloé. Elle dormait dans une position improbable, une jambe en dehors du lit. Elle tira sa porte pour ne pas risquer de la réveiller.

Elle descendit dans le salon et alluma l'ordinateur. L'écran projeta sa lumière blafarde dans la pièce endormie. Elle s'assit. Sensation froide du cuir sur les cuisses nues.

Elle retrouva le blog. Elle aurait bien aimé avoir en face d'elle le petit salopard qui tenait ça et lui dire tout ce qu'elle pensait de lui. Parce que c'était un homme, forcément. Jamais une femme ne s'abaisserait à faire des trucs pareils.

Elle ne put s'empêcher de retourner d'abord sur les pages des vidéos de Jonathan.

D'autres commentaires allaient maintenant dans son sens. Elle en ressentit une bouffée de plaisir. Tandis que ses yeux parcouraient les paragraphes qui se succédaient, elle découvrait qu'ils étaient nombreux, très nombreux, à dénoncer comme elle cette moquerie indue. Plus elle tournait les pages, plus elle les voyait défiler. C'était comme si elle avait involontairement déclenché une avalanche de protestations, comme si les gens s'étaient passé le mot et se rendaient sur le site pour témoigner à leur tour de leur indignation. On ne se moquait plus de Jonathan, on reconnaissait au contraire la valeur de ses actes. Elle en ressentit un vif sentiment de revanche, de justice.

Elle se mit en quête de la vidéo qu'elle cherchait, mais ce n'était pas facile. Il n'y avait pas de logique à l'arborescence du blog, alors elle tournait des pages et des pages, en vain.

Soudain, elle reconnut l'image et se concentra tandis qu'elle lançait le film, scrutant méticuleusement le déroulé de la séquence. Elle durait à peine trente ou quarante secondes et, à la fin, Angela ressentit de nouveau cette gêne inexplicable qui l'avait tellement perturbée. Ce ressenti pénible, angoissant, incompréhensible.

Et si cette vidéo contenait une image subliminale ? Comme ces images sexuelles que des publicitaires glissent subrepticement dans leurs films pour exciter notre attention sans que jamais on les perçoive consciemment ?

Elle décida de revisionner la séquence image par image, en cliquant pas à pas sur la petite flèche de droite.

La scène se déroula lentement, silencieuse et saccadée, et à chaque image Angela observait avec attention tous les éléments composant le visuel. La fraîcheur de la nuit la fit frissonner et elle regretta de ne pas s'être un peu plus couverte.

À un moment, elle aperçut un visage, loin en arrière-plan, et le reconnut tout de suite : c'était celui de la serveuse du café. Elle apparaissait sur sept images d'affilée sans qu'Angela y ait prêté attention en voyant le film à vitesse normale.

Elle poursuivit, pas à pas. On approchait de la fin de la séquence et elle n'avait toujours rien trouvé. Ce n'était quand même pas la vision de la serveuse qui l'avait troublée. Elle savait bien que le blogueur filmait dans ce lieu qu'elle avait reconnu dans les vidéos de Jonathan.

Soudain, elle poussa un cri.

Dans un angle derrière l'un des protagonistes, on voyait, floue mais bien reconnaissable, la silhouette de la call-girl. Penché vers elle, le profil souriant de Michael.

Angela ne pouvait plus détacher les yeux de cette image si lourde de sens.

Vite, la date.

La vidéo était datée du 7 avril.

7 avril… la veille de sa rupture avec Jonathan, après qu'elle eut découvert cette fille à moitié nue en sa compagnie.

Angela se mordit la lèvre et son cœur se serra : ce jour-là, c'était Michael qui l'avait poussée à rentrer chez elle plus tôt que d'habitude.

Tu es fatiguée, avait-il dit, rentre à la maison, ça te fera du bien.

\*

\* \*

Ryan secoua la tête, médusé. Le nombre de commentaires explosait de jour en jour, presque tous en faveur de Jonathan. Au-delà des commentaires, le nombre de visiteurs du blog avait une croissance exponentielle, faramineuse, hallucinante. Les pro-Jonathan relayaient l'info, faisaient un bouche à oreille de malade, un buzz de folie. Ce n'était plus une vague de soutien, mais un tsunami.

Ryan en avait le vertige. Lui qui avait pendant des mois animé ce blog pour quelques dizaines de personnes, espérant chaque jour en gagner davantage, était maintenant totalement dépassé par les événements. Certes, c'était vexant que sa tentative de mise en scène de la bêtise ait provoqué l'effet inverse, que l'objet de son blog ait été détourné, mais ce n'était pas ce qui le préoccupait. Le problème n'était même plus là.

L'ampleur du buzz avait un côté effrayant, irrationnel. Et incontrôlable. C'était comme si une armée entière de cons s'était levée et marchait sur lui pour défendre l'un des leurs, enrôlant sur son passage de plus en plus de volontaires.

Il essayait de se rassurer en analysant les chiffres. Mais les chiffres n'avaient rien de rassurant. Le blog dépassait le million de visiteurs en quelques jours. En prolongeant les courbes, on pouvait imaginer atteindre trois millions de personnes à la fin de la semaine, peut-être plus...

Il retourna lire les commentaires. Tenter de comprendre.

Les gens rivalisaient de superlatifs pour décrire Jonathan. À les en croire, c'était une sorte de modèle anti-système, un homme libre marchant en dehors des clous, un altruiste au pays des individualistes, un rebelle positif, un rescapé de la névrose collective, un résistant solitaire..

Tout le monde se reconnaissait : le peuple de gauche voyait en lui un humaniste et louait ses élans de solidarité, les gens de droite valorisaient son sens de l'initiative personnelle et sa charité. Les athées saluaient sa générosité laïque. Pour les religieux, ses actes répondaient à un appel divin, et ils louaient sa résistance à la tentation, soulignant sa capacité hors du commun à s'effacer lorsqu'une femme posait sur lui un regard libidineux. Les bouddhistes y voyaient quant à eux un détachement grandement respectable.

Chacun y allait de son ? 's, de son explication, de son analyse. Chacun interprétait ses actes à l'aune de ses croyances, de ses valeurs. On accaparait Jonathan, on s'appropriait sa personne.

Ryan avait peur.

Dans un coin de son cerveau, une lumière rouge clignotait maintenant en permanence : ses vidéos étaient totalement illégales. Violation de la vie privée. D'un jour à l'autre, d'une heure à l'autre, quelqu'un reconnaîtrait Jonathan ou une autre de ses victimes. Et ce jour-là, il serait dans la merde. Jusqu'au cou.

# 38

— Ce salaud a failli foutre en l'air notre vie, et tout ce que tu proposes, c'est de lui vendre nos parts et de s'en aller ?!

Angela marchait de long en large dans le salon de la maison de Jonathan, folle de rage. Jonathan était assis devant son ordinateur. À l'écran, l'image de Michael avec la call-girl. La découverte du blog et de ses films lui avait fait un drôle d'effet. Il n'avait pas exprimé grand-chose, mais elle le connaissait suffisamment pour savoir qu'il en était tout retourné.

— Contre qui es-tu le plus en colère, au fond ? finit-il par dire d'une voix anormalement calme.

— À ce moment précis, autant contre lui pour ce qu'il nous a fait que contre toi prêt à passer l'éponge !

Jonathan leva un œil vers elle.

— C'est tout ?

Elle laissa retomber les bras dans un geste d'impuissance.

— Si c'est ce que tu veux entendre, dit-elle en baissant soudain d'un ton, je m'en veux aussi de ne pas t'avoir cru à l'époque, mais c'est pas une raison pour laisser Michael impuni !

Jonathan resta silencieux quelques instants, puis soupira.

— Il ne faut jamais rester avec quelqu'un qui nous fait du mal. Partir est la décision la plus sage.

— Mais c'est à lui de partir !!!

— Légalement, on n'a aucun moyen de l'y obliger.

Elle secoua la tête, dégoûtée.

— Partons, dit-il. On va monter autre chose, on en est capables, on se débrouillera. Ayons confiance en la vie.

Elle explosa.

— On ne va quand même pas lui vendre nos parts alors que c'est ce qu'il attend depuis longtemps ! C'est même pour ça qu'il a monté son coup. Il a failli détruire notre couple, notre famille, et toi tu veux lui faire un cadeau ?

— De toute façon, on n'a pas trop le choix. Je ne vois pas à qui d'autre on pourrait les vendre. Un repreneur, ça ne se trouve pas du jour au lendemain. Alors si tu ne veux pas continuer de voir Michael tous les matins pendant encore des mois...

— Les boules.

Jonathan soupira.

— Laisse-le, il ne sait pas ce qu'il fait.

— C'est un connard.

— Je pense qu'il est plus à plaindre qu'à envier...

Angela secoua la tête de dépit.

— Je n'ai pas envie de me battre, dit Jonathan. Je ne veux pas passer le reste de ma vie en conflit.

Angela fronça les sourcils.

— Pourquoi dis-tu ça ? Je ne te demande pas de nous venger jusqu'à la fin de tes jours et...

Jonathan botta en touche. Ce n'était pas le moment de lui parler de la prédiction.

— Partons, et je vais trouver quelque chose. Je ne sais pas quoi encore, mais je te promets que je le ferai se repentir de ses crimes.

*<br>* *

Une demi-heure plus tard, ils se rendirent à la terrasse du café pour déjeuner. De loin, ils virent un attroupement bizarre encombrer les lieux. Ils s'approchèrent, puis, soudain, quelqu'un cria : « C'est lui ! » et tous se retournèrent vers Jonathan qui se figea, stupéfait, tandis qu'une petite meute de journalistes, cameramen et perchmans se précipitait sur lui.

*<br>* *

Quelle valeur avait la réussite, dans ces conditions ?

La question tournait en boucle depuis la veille dans l'esprit désormais tourmenté d'Austin Fischer. La révélation de la stratégie de son coach l'avait comme foudroyé, l'abandonnant à des interrogations auxquelles il ne s'était jamais livré jusqu'à ce jour.

L'humilier pour le faire réagir, titiller son amour-propre pour le faire gagner...

C'était donc ça.

Une question l'obsédait, le taraudait sans cesse : aurait-il pu réussir sans cela ? Ses exploits auraient-ils pu avoir lieu sans qu'on attise ses blessures narcissiques, réveillant les douleurs passées pour exciter sa soif de revanche, son besoin maladif de prouver aux autres sa valeur ?

À la télé branchée sur une chaîne d'infos dans un coin de la pièce, l'image d'une célébrité traversa l'écran. Austin respira à fond pour chasser sa tension.

La réussite est-elle l'apanage des névrosés ? Faut il avoir un ego meurtri pour trouver en soi la volonté surhumaine indispensable à son avènement ?

À voir le nombre de psychopathes dans les hautes sphères gouvernementales et les instances dirigeantes des grosses boîtes, on peut en effet se poser la question...

Il ouvrit en grand la baie vitrée qui donnait sur la piscine de sa terrasse privée. Ses préoccupations torturaient son esprit et il étouffait, malgré les dimensions déraisonnables de la suite qu'on lui avait réservée dans ce palace. Il décocha un grand coup de pied rageur dans une carafe en cristal sur la table basse. Elle vola en éclats qui se fracassèrent sur le sol de marbre.

Le luxe est l'indemnité compensatoire d'une estime de soi foireuse.

Il soupira profondément. Il fallait qu'il se ressaisisse, qu'il remette à plus tard ses interrogations métaphysiques.

Après la finale.

Il décapsula un Perrier et but une gorgée à la bouteille, ignorant le verre Baccarat à sa disposition. Devant la baie vitrée ouverte, les fins voilages se soulevaient délicatement au gré du vent, un vent léger et silencieux. La télé rediffusait un reportage qu'il avait déjà entrevu quelques heures plus tôt, l'histoire de ce type qui était la risée du Web avant qu'un courant de sympathie ne le porte aux nues. Austin réécouta d'une oreille les propos qu'il tenait sur la vie, sur la valeur de nos actes, de nos paroles, sur ce qui nous relie aux autres, le non-sens de la compétition…

« J'aime, disait l'homme au journaliste, être en phase avec les autres et en paix avec moi-même. Je me sens bien quand mes actes expriment qui je suis. »

On lui demandait ensuite pourquoi il faisait de telles choses pour des inconnus.

« La vie est un jeu, répondait-il. Alors je joue, j'ose… »

Un peu plus tard, il lâchait : « Faire le bien me fait du bien. »

Austin était à des années-lumière de ces considérations, et pourtant ces propos trouvaient un écho particulier en lui, résonnant étrangement avec sa situation. Des propos qui ébranlaient la direction claire et déterminée qu'il s'était jusque-là donnée. Jusque-là…

Car il se sentait désormais comme une boussole après qu'un cataclysme eut fait disparaître le nord.

Pourquoi fallait-il qu'il entende ces paroles aujourd'hui, dans la situation qui était la sienne depuis la veille ? Pourquoi la vie offrait-elle de telles coïncidences, une telle synchronicité ?

Il sortit sur la terrasse, retira ses vêtements, et plongea dans la piscine.

Le froid le saisit, ressourçant, revigorant. Il traversa le bassin en apnée puis ressortit la tête de l'eau.

Il allait gagner ce match. Seul. Il serait sans doute le seul joueur au monde à se préparer à la finale d'un tournoi du Grand Chelem sans son coach. Mais il gagnerait. Il gagnerait en exprimant qui il est, sans jouer sur des ressorts psychologiques malsains. Sa victoire serait la sienne, vraiment la sienne.

## 39

*En phase avec les autres, en paix avec moi-même.*

La formule revenait dans toutes les interviews, comme un leitmotiv, sur les lèvres de Jonathan.

Ryan n'en revenait toujours pas de l'intérêt des médias pour sa victime. De ce point de vue-là, la fermeture précipitée de son blog n'avait servi à rien. Il avait trop attendu et des internautes peu scrupuleux avaient volé les vidéos que l'on retrouvait maintenant sur YouTube et toute une kyrielle d'autres sites. La formule de Jonathan était reprise un peu partout.

C'est la gorge serrée et une boule au ventre qu'il avait désinstallé à distance le blog des serveurs d'hébergement de Minneapolis et effacé méticuleusement ses traces du Web. Question de sécurité, de survie. Un gâchis. Maintenant, il se sentait dépossédé, privé de sa seule source de réjouissance. Il s'ennuyait comme un politicien qui aurait cessé de magouiller.

Il avait laissé son matériel en place sans plus y toucher, comme une scène de crime mise sous scellés. Les caméras inanimées sur leurs trépieds ressemblaient à d'immenses insectes empaillés.

Depuis, Ryan regardait la télé, sans doute comme tous les cons qu'il avait filmés. Il fallait qu'il trouve autre chose, sinon il finirait par leur ressembler.

*

\* \*

La brume refusait de se dissiper, ce jour-là, comme si le soleil avait décidé de tirer sa flemme tout au long de la journée. La clochette tinta et le tramway s'arrêta. Jonathan en descendit. Dans l'air chargé d'humidité, on devinait les senteurs lointaines de l'océan.

Jonathan remonta l'avenue. Malgré la fin des vacances d'été, les touristes restaient nombreux dans la ville, profitant de la belle arrière-saison. Le tramway le doubla, filant silencieusement à l'assaut de la colline. L'avocat chargé de régler les détails de la vente du cabinet avait ses bureaux à quelques encablures. Si Jonathan ressortait assez tôt du rendez-vous, il appellerait Angela. Peut-être pourrait-elle le rejoindre pour prendre un verre dans les parages.

Il marchait tranquillement quand soudain une vision lui glaça le sang, et il se figea : devant lui, à quelques mètres à peine, se tenait la bohémienne qui lui avait prédit la fin de sa vie. C'était la plus jeune des deux, celle qu'il n'avait pas réussi à revoir. Assise au pied de l'un des arbres bordant l'avenue, elle semblait assoupie, les yeux fermés.

Perturbé par les émotions qui affluaient en lui, Jonathan demeura ainsi, interdit, à la regarder. Puis il se reprit et s'avança en silence. Elle dut sentir sa présence car, au bout d'un instant, elle ouvrit les yeux. Elle ne manifesta aucune réaction, ne chercha pas à fuir comme la dernière fois. Au contraire, elle resta assise au pied de son arbre, regardant Jonathan sans rien dire. C'est lui qui finit par rompre le silence.

— J'ai essayé de te retrouver, la dernière fois...

Elle ne réagit pas, et continua de le fixer de ses grands yeux couleur de ténèbres.

— Je voulais te parler... en savoir plus.

Silence.

— Je suis finalement tombé sur ta sœur... Elle m'a confirmé... tes prédictions.

La jeune bohémienne resta impassible. Son visage était grave, mais il lui sembla entrevoir une lueur de compassion dans le noir de son regard.

Les gens passaient derrière lui sur le trottoir, les voitures circulaient dans l'avenue, et il sentait par moments le souffle silencieux d'un tramway dans son dos. Mais toute cette affluence semblait lointaine, à part, comme si la bohémienne et lui se trouvaient dans une bulle dissociée du reste.

— Tu as quelque chose à me dire ? finit-il par demander sans savoir lui-même ce qu'il espérait.

Elle continua de le regarder dans les yeux en silence. Puis elle lâcha, de cette voix qui vibrait encore de la sentence qu'elle avait autrefois formulée :

— Demande à ta tante.

## 40

Balle de match.

Austin essuya d'un mouvement rapide la sueur qui coulait sur son front avant qu'elle n'atteigne ses yeux.

*Accroche-toi. Tu vas gagner.*

On pouvait sentir la tension parmi le public, comme dans un ciel orageux tellement sec que l'on s'attendrait à voir jaillir des étincelles autour de soi. Avant chaque balle, des gens toussaient dans les gradins, comme pour se défaire de leur stress.

Austin était sur le court depuis bientôt quatre heures en plein soleil, sans une trace de fatigue. Pendant un match, la fatigue lui était toujours étrangère. Tout son être était mobilisé pour gagner, et la seule chose qu'il ressentait, c'était l'appel irrésistible de la victoire.

La finale s'avérait plus dure que prévu. Extrêmement serrée. Volsh avait remporté deux sets, comme lui, et ils se retrouvaient tous les deux à égalité dans le cinquième, à six jeux partout. Le tie-break avait commencé. Austin menait 6 à 5, mais c'était à Volsh de servir. Qu'il perde et Austin gagnait le match, le tournoi, et sa place dans les annales du tennis. Que Volsh gagne deux points d'affilée et c'est lui qui remportait la coupe. Jamais dans sa carrière Austin n'avait vécu de situation aussi périlleuse où tout se jouait au dernier moment, comme si on avait combattu pendant quatre heures pour rien.

Volsh lança sa balle en l'air et frappa comme une brute.

— Let ! cria l'arbitre.

— Faute ! reprit-il après que la balle fut retombée du mauvais côté.

*Parfait.*

Volsh fit rebondir plusieurs fois une nouvelle balle sur le sol. Un tic nerveux crispa son visage dans une grimace furtive. Austin sentit qu'il allait gagner ce point.

Volsh lança la balle et frappa, moins fort que la fois précédente.

— Faute ! hurla l'arbitre. Jeu, set et match Austin Fisher !

Les applaudissements résonnèrent dans l'immense stade et tout alla très vite. Des gens franchirent les barrières et envahirent le court. Volsh s'avança vers le filet pour saluer son adversaire.

Austin, lui, restait figé. Il n'avait pas bougé d'un iota.

Il n'avait pas bougé car il savait.

Il savait que la balle de Volsh n'était pas faute. Elle avait atterri sur la ligne, sur le bord extérieur de la ligne. Parfaitement bonne.

Personne n'avait réagi. Il était peut-être le seul à l'avoir vu. Mais il savait.

Et maintenant un terrible dilemme s'imposait à lui. Ne rien dire et entrer dans l'histoire en devenant le plus grand champion de tous les temps. Dire la vérité et prendre le risque de tout remettre en jeu. Et il devait décider de suite, là, immédiatement

Les équipes du tournoi s'apprêtaient déjà à mettre en place le podium. Tous le regardaient, interloqués de son absence de réaction.

Les images et les idées se bousculèrent confusément dans son esprit, à toute allure.

— Non ! cria-t-il soudain.

Le silence se fit instantanément dans le stade. Le public se figea comme un seul homme, comme si Dieu avait appuyé sur le bouton « Pause ».

Austin marcha vers l'arbitre qui le fixait, médusé, comme les vingt-deux mille spectateurs muets.

— La balle de Volsh était bonne.

Un murmure parcourut le stade.

L'arbitre décida de visualiser la vidéo.

Le murmure prit de l'ampleur et s'étira en un véritable brouhaha, qui dura, dura, jusqu'à ce que l'arbitre reprenne son micro.

— Le jeu va reprendre. Austin Fisher et Jack Volsh sont à égalité, six points partout dans le tie-break du cinquième set.

L'étonnement se propagea parmi les spectateurs, tandis qu'Austin regagnait sa place au fond du court, avec en lui un sentiment inhabituel, une fierté différente de celle qu'il avait l'habitude de ressentir.

Dans le public, l'agitation était à son comble, et l'arbitre dut faire un rappel à l'ordre. Le silence finit par revenir. Un silence électrique.

Austin se prépara à servir.

Quelques ultimes cris fusèrent.

Il lança sa balle et frappa.

L'échange dura une trentaine de secondes et son adversaire marqua le point.

— Volsh mène 7 à 6, annonça la voix métallique dans les haut-parleurs.

Austin se concentra.

Volsh frappa avec une force incroyable, et marqua le point sans même qu'Austin touche la balle.

C'était fini.

Austin accueillit l'annonce de la victoire de son adversaire dans un grand calme intérieur, loin du déchirement qu'il avait pu ressentir dans le passé lors des défaites. Il salua son adversaire, puis l'arbitre. Ensuite, les choses se déroulèrent avec fluidité, et quelques minutes plus tard il se retrouva sur le podium. Il était serein. Il n'avait pas reçu la jouissive décharge d'adrénaline qui accompagnait ses victoires dans une formidable impression de toute-puissance, mais il sentait émerger du plus profond de lui-même un sentiment nouveau, authentique et intense, le sentiment de sa véritable valeur.

Jack Volsh, victorieux, brandit la coupe sous des applaudissements nourris. Quand on remit à Austin le trophée du second, il vit pour la première fois de sa carrière le public se lever pour lui et l'acclamer.

# 41

La route de San Francisco à Monterey parut interminable. Si Jonathan était immensément soulagé par la confession de la bohémienne, il nourrissait maintenant un certain ressentiment à l'égard de sa tante.

Sa colère s'évanouit comme par magie quand sa vieille Chevrolet blanche, franchissant le seuil de la propriété, s'engagea dans l'allée bordée de cyprès, comme si un bien-être immuable imprégnait ces lieux, capable de pacifier le plus fulminant des dragons.

Jonathan descendit de voiture et marcha vers la maison, le gravier crissant sous ses pas. Les fleurs étaient moins nombreuses, les asters bleus avaient remplacé les clématites roses, et les feuilles de l'érable viraient doucement au rouge. Mais l'atmosphère était la même, douce, parfumée, et empreinte d'une quiétude intemporelle. En contrebas, les pins centenaires étaient intacts, leurs troncs tortueux dominant l'océan d'un bleu toujours aussi profond.

Margie apparut sur le perron, arborant son habituel sourire lumineux et bienveillant, et Jonathan ne put se retenir de la serrer dans ses bras.

Elle lui offrit le thé dans le jardin pour profiter de la douceur de l'après-midi, bien installés dans les confortables fauteuils en rotin. Jonathan attendait le bon moment pour confronter sa tante. Les mots lui manquaient.

Margie déposa un plateau chargé d'un charmant service en porcelaine sur la table basse.

— Alors comme ça, tu sais tout, n'est-ce pas ? dit-elle spontanément après quelques minutes.

Pris au dépourvu, Jonathan acquiesça lentement. Margie faisait partie de ces gens très intuitifs, disposant d'un flair hors pair, à qui l'on ne peut finalement rien cacher.

Elle versa le thé fumant dans les tasses. Le parfum de la bergamote se diffusa lentement dans l'atmosphère.

Il n'y avait pas un souffle de vent. Au loin sur la mer, un voilier, immobile, paraissait avoir été peint sur le paysage.

Le temps semblait suspendu pour l'éternité.

— La conscience de la mort est essentielle à la vie, dit-elle d'une voix très douce.

Un papillon jaune virevolta autour d'eux, puis se posa sur une impatiens et battit des ailes quelques fois avant de s'immobiliser.

— Notre société s'abîme dans le déni de la mort, dit-elle en se rejetant lentement dans son fauteuil. On fait comme si elle n'existait pas. On se réfugie même derrière un vocabulaire métaphorique pour la désigner : quand on perd un vieil oncle, on dit qu'il a disparu, qu'il est parti, qu'il nous a quittés. On dit qu'on l'a perdu, comme si on allait le retrouver au coin de la rue ou au rayon confiseries du supermarché.

Jonathan sourit.

— On nie tout ce qui nous rapproche de la mort, reprit Margie. On cache soigneusement les signes de vieillissement dès leur apparition. On ne valorise que la jeunesse et ses atouts, qui sont les seuls que l'on affiche, comme si vieillir était honteux ou effrayant. Même les philosophes se font faire des liftings et cultivent un look jeune !

Elle partit à rire.

— Pourtant, reprit-elle, quand on demande aux gens s'ils sont heureux, ils sont beaucoup plus nombreux à répondre oui à soixante ans qu'à vingt ans...

Elle porta sa tasse à ses lèvres.

— Autrefois, dans les villages, on allait toutes les semaines en famille au cimetière, rendre visite aux ancêtres. On s'adressait à eux intérieurement, on leur parlait, et finalement on gardait un lien, quelque chose subsistait entre eux et nous. Et pendant que les adultes entretenaient les lieux et les fleurs, les enfants jouaient sur les tombes alentour et, mine de rien, ils apprivoisaient la mort.

Margie but quelques gorgées de thé et Jonathan fit de même. La chaleur bienfaisante de la boisson se diffusa dans son corps et il se détendit.

— Aujourd'hui, le déni de la mort se decline partout, reprit Margie. Il explique notamment l'obsession de certains à repousser les limites, que ce soit sur le plan physique, financier, sur celui du statut, des relations intimes, du pouvoir... C'est pour ça qu'à notre époque, on admire à ce point les grands sportifs, qui repoussent les limites du corps, et les célébrités qui, de par leur statut ou leur œuvre, offrent un semblant d'immortalité...

Elle reposa sa tasse.

— Pourtant, vois-tu, c'est paradoxalement la prise de conscience de nos limites qui peut être libératrice. C'est en les acceptant pleinement que l'on peut alors s'épanouir, déployer notre créativité, et même se mettre à réaliser de grandes choses. Et comme la plus grande des limites, la plus incontournable, c'est la mort... notre vie commence véritablement le jour où l'on prend conscience que l'on mourra un jour, et qu'on l'accepte pleinement.

Le papillon sur l'impatiens s'envola gaiement, poussant la fleur dans une légère ondulation.

Au loin, sur l'océan, le voilier semblait avoir enfin trouvé un souffle pour le porter.

Jonathan ne dit rien. Même s'il en voulait toujours à sa tante pour la souffrance que la fausse prédiction lui avait causée, il savait au fond de lui que c'était après avoir surmonté ses angoisses de mort qu'il s'était mis à vraiment apprécier la vie, comme jamais auparavant. Il avait alors enfin compris ces gens qui, atteints d'une grave maladie, se disaient parfois reconnaissants envers le mal qui les avait touchés.

— La conscience de la mort permet de se libérer de ses illusions, dit Margie. On réalise soudain ce qui a vraiment de la valeur dans notre vie. Tout le reste, qui jusqu'alors mobilisait notre attention et notre énergie, devient d'un seul coup secondaire. Notre aveuglement prend fin, nos chimères s'évanouissent. On s'autorise à être soi-même, à exprimer ce que l'on ressent, à vivre ce que l'on veut vivre.

Elle reposa la théière avant d'ajouter :

— Bien vivre, c'est se préparer à mourir sans regrets.

Jonathan acquiesça silencieusement.

— Et puis la mort n'est sans doute pas si terrible, tu sais. Chacun a sa vision de la mort, chacun a ses croyances sur la question. Mais même en mettant de côté les interprétations religieuses, il y a plus de raisons de penser qu'elle n'est qu'un passage vers un autre état, une autre forme de vie, que de croire que nous ne serions que de la matière finissant en poussière. Même les plus convaincus des apôtres de cette vision matérialiste de la vie sont incapables d'en fournir la preuve. Et à l'inverse, nous avons d'innombrables témoignages, tous convergents, de personnes ayant vécu des expériences de mort imminente Ils décrivent tous un tel état de bien-être, d'amour, de beauté, de lumière, que désormais aucun d'entre eux n'a peur de la mort.

— J'en ai lu quelques-uns, c'est vrai.

— Nombreux sont ceux ayant été plongés dans un coma profond, dans un état de quasi-mort cérébrale, et qui, revenus inexplicablement à la vie, peuvent décrire précisément les événements qui se déroulaient autour d'eux pendant leur coma, les paroles échangées par les visiteurs ou les médecins, et même parfois ce qui se passait… dans une autre pièce. Beaucoup de chirurgiens ont aussi recueilli les témoignages de patients opérés qui, à leur réveil, racontaient de façon très factuelle les actes et les paroles du personnel soignant pendant l'opération, et savaient décrire des objets présents dans une autre salle où ils n'avaient jamais été. C'est même arrivé à des scientifiques… matérialistes ! Inutile de dire qu'ils ont un peu revu leur position par la suite…

Elle se mit à rire avant d'ajouter :

— On ne peut certes tirer aucune conclusion de ces expériences vécues, mais il est tentant de penser que notre âme, que l'on a souvent assimilée au cerveau, n'est pas enfermée dans notre corps, mais peut s'en libérer, jusqu'à s'en détacher complètement le jour venu.

Jonathan sourit à cette vision, une vision à laquelle il avait envie de croire, lui aussi. Margie s'était tue. Le jardin, enveloppé dans un silence religieux, semblait presque endormi. On entendit alors le chant d'un oiseau. Un merle au plumage d'un noir profond s'était posé à quelques mètres.

Soudain, une idée traversa l'esprit de Jonathan. Il se tourna vers Margie.

— Avec la bohémienne, tu as pris de gros risques. J'aurais pu mal réagir, mal finir...

Elle lui adressa le plus lumineux des sourires.

— Je te connais suffisamment, mon chéri, pour deviner quelle serait ta réaction. Et puis surtout, dit-elle les yeux pétillants de malice tout en baissant la voix comme si elle confessait un péché, j'étais certaine que tu viendrais me trouver !

Jonathan regarda sa tante, aux yeux espiègles, au visage radieux. C'était vraiment un sacré personnage.

Puis il laissa son regard embrasser le jardin et la vue sublime qu'il offrait jusqu'à l'horizon où l'océan se fondait dans le ciel. Le vent d'ouest, en se levant, avait attiré de nouveaux voiliers. Jonathan inspira profondément. L'air marin avait un parfum d'éternité.

## 42

Les semaines avaient passé et, après une vague de fraîcheur automnale, la douceur était revenue en force dans un bel été indien qui redonnait du baume au cœur des habitants et touristes de San Francisco.

Lassé par les longs après-midi devant la télé, Ryan avait fini par retourner à sa caméra, derrière ses longs voilages noirs. Il ne filmait plus depuis longtemps, mais le casque du micro parabole sur les oreilles et l'œil derrière l'objectif, il observait les clients de la terrasse et écoutait leurs conversations. Sans trop savoir pourquoi.

Il ouvrit une canette de Coca, but une gorgée, essuya ses mains humides sur son tee-shirt, puis retourna à son poste.

Un cabriolet Porsche se garait le long de la ruelle bordant le café, à l'angle de l'avenue. Michael en descendit. Ryan le suivit des yeux puis sourit : depuis quinze jours qu'on le voyait avec, c'était la première fois que Michael ne se retournait pas pour jeter un coup d'œil à son bolide après avoir fait quelques pas.

Il s'attabla, et lança un regard à la ronde pour vérifier s'il avait attiré l'attention. Là-dessus, il n'avait pas changé. Il fit un geste au serveur.

Ryan zooma.

— Un café, demanda-t-il.

Le serveur acquiesça et s'éloigna.

Michael promena de nouveau son regard sur la terrasse, puis, au bout d'un moment, ses yeux demeurèrent dans le vague, presque inertes, comme perdus dans le vide.

Le serveur déposa le café et se retira.

Depuis quelques semaines, Michael était toujours seul, seul à sa table. Et il prenait son café comme ça, en solitaire.

Cette vision avait quelque chose de troublant pour Ryan. Comme si, pour la première fois de sa vie, il éprouvait de l'empathie pour quelqu'un, se mettait à sa place et ressentait sa solitude.

Il fit un zoom arrière. La terrasse était presque pleine. Beaucoup de touristes, certains un peu ploucs, et d'autres avec des tronches pas finaudes.

Une table vide.

Depuis quelque temps, quand il voyait une table libre, Ryan avait presque envie de descendre s'y installer, comme ça, au milieu de tous ces gens. À force de les regarder, il était peut-être devenu con, lui aussi.

Une tache noire sur la droite.

Une espèce de gitane mal sapée traversa la terrasse, les nichons au balcon.

Elle se glissa lentement entre les tables, puis s'arrêta devant Michael et lui saisit la main.

Ryan zooma.

284

Michael la laissa faire, un sourire amusé aux lèvres. Tandis qu'elle se penchait sur sa paume ouverte, il en profita pour plonger le regard dans le décolleté offert.

Elle lâcha sa main, se redressa, le fixa un instant en silence, puis lui dit d'une voix caverneuse qui le cloua sur place :

— Tu vas mourir.

*
* *

Chloé lança son cartable à l'autre bout du salon.

— Tu as des devoirs à faire ? demanda Jonathan.

— Plus tard ! protesta-t-elle.

Et sans attendre la réponse, elle fila en hâte dans le jardin. Elle courut jusqu'au portique que les parents avaient installé la veille, et se hissa sur la balançoire.

— Devine ce que j'ai acheté, dit la voix d'Angela à travers la fenêtre ouverte.

— Aucune idée, dit Jonathan.

Chloé se contorsionna pour faire bouger cette maudite balançoire.

— Figure-toi que Gary fait maintenant du pain au levain.

— Ah bon ?

Enfin, la balançoire partit dans le bon sens.

*Plus vite !*

— J'en ai pris un pour le petit déj'.

— Pas sûr qu'il en reste d'ici là…

Chloé réussit à prendre de la vitesse. C'était trop drôle, et ça faisait plein de guilis dans le ventre.

*Encore plus vite !*

— Chloé ! Tes devoirs !

— Attends…

*J'ai bien le droit de jouer un peu…*

Elle se balançait de plus en plus vite, de plus en plus haut.

*Jusqu'au ciel !*

D'un seul coup ses fesses glissèrent de la planche et elle se sentit partir…

— Aaaaaaaaaaaah !!!

Le choc fut violent, sur le dos. Elle ne pouvait plus respirer, comme si c'était bloqué, coincé, comme si ça marchait plus.

Les cris de maman. Les parents qui accourent.

*Ça y est, je respire… Ça remarche… Ouf…*

Elle bougea les bras, les jambes, puis roula lentement sur le ventre.

— Ma chérie ! cria Angela en se jetant sur elle.

— Où as-tu mal ? demanda Jonathan l'air très inquiet.

*Ils ont peur.*

— Ça va, dit Chloé en pleurant.

Elle n'avait presque pas mal, mais elle pleurait de plus en plus, sans savoir pourquoi, à plat ventre dans l'herbe.

*J'ai vraiment pas de chance…*

Maman la serrait contre elle en lui faisant des bisous.

— Ça va aller, ma chérie, ça va aller.

Soudain, juste devant son nez, Chloé vit quelque chose d'incroyable, entre les larmes qui coulaient dans ses yeux. Elle cligna des paupières pour mieux voir.

*Ça existe pour de vrai…*

Elle tendit la main pour le toucher. Entre les brins d'herbe devant elle, juste là, sous ses yeux, il y avait, vrai de vrai, un trèfle à quatre feuilles.

Cet ouvrage a été imprimé en France par

BUSSIÈRE

à Saint-Amand-Montrond (Cher)
en octobre 2014


Composition et mise en pages
Nord Compo à Villeneuve-d'Ascq


Les Éditions KERO utilisent des papiers composés de fibres naturelles,
renouvelables, recyclables et fabriquées à partir de bois issu de forêts
qui adoptent un système d'aménagement durable.


N° d'impression : 2012436
Dépôt légal : septembre 2014